성공으로 이끄는 사람과 마음 사이

성공으로 이끄는 사람과 마음

사이

표영호 지음

스노우폭스북스

열정이 어디서 나는지 자꾸 새롭게 태어나는 느낌을 주는 사람, 표영호.
알면 알수록 사람 냄새가 폴폴 나는 향기를 가진 사람, 표영호.
이 책은 우리가 어떻게 살아야 하는가에 대해 생각하게 해준다.

— 방송인 김국진

'소통전문가'가 되어 우리들에게 나타난 표영호는 이 책에 고스란히 민낯을
드러냈다. 인생을 진지하게 살아가는 모습에 진정성이 듬뿍 느껴진다.

— 나는 가수다 PD 김영희

사람을 한자로 '인간(人間)'이라고 쓴다. 왜 그냥 '사람 인(人)' 한 글자가 아니
라 '사이 간(間)' 자가 더해질까? 사람은 사람 사이에 있을 때 사람답게 살 수
있다는 뜻일 게다. 이 책은 사람은 이어지고 어울려야 사람다워진다는 것을
표영호의 관점으로 풀어냈다. 명쾌하고 유쾌한 사람 이야기 책이다.

— 관점 디자이너 박용후

소통은 인간관계에 있어서 핵심 DNA다. 소통과 신뢰는 리더가 지켜야 할 최
대 덕목으로, 조직원 간에 서로 존중하고 소통한다면 분명 살아 펄떡이는 조
직이 될 것이다. 이 책은 소통을 위해서 내가 어떻게 해야 되는지를 설명하고
있다.

— 삼성전자 상무 오치오

"인연은 우연일지 몰라도 관계는 노력입니다"란 말이 나의 가슴속에 남았다. 그의 소통 강연을 듣고 며칠 동안 이 말은 머리가 아닌 가슴에서 맴돌았다. 앞을 향해 돌진하라는 보스질이 아닌 나를 뒤따르라는 리더질을 해야 한다는 그의 소통 철학. 누구에게나 단 한순간도 망설일 수 없는 가치 나눔이 되어야 하기에 이 출간 서적은 의미가 깊다.

— 야놀자 대표이사 이수진

끊임없이 변화를 추구하고 소통하는 모티브를 주는 책이다. 10년을 만나도 1년을 만난 듯한 신선한 매력과 1년을 만나도 10년을 알고 지낸 것처럼 진득한 매력. 그것이 표영호의 소통력인 것 같다.

— 한국방송작가협회 부이사장 임기흥

표영호 대표의 강연을 듣고 그의 인간적인 매력에 흠뻑 빠졌다. 이 책은 그의 강연보다 더 큰 인간적 고뇌의 흔적이 묻어 있고 더 큰 소통력을 가르쳐준다.

— 센 그룹 공동창업자 최중근

살아오면서 해왔던 고민들이 녹아 있고, 살아가면서 또 고민해야 할 부분이 이 책에 가득하다. "좋은 항아리를 가지고 있으면, 그날 안에 사용하라. 내일이 되면 깨어질지도 모른다"는 탈무드의 이야기처럼, 이 책을 읽고 내가 바로 수정해야 할 부분이 뭔지를 생각했다.

— 한국자산관리공사 사장 홍영만

나이가 한 살씩 늘어날 때마다 나는 아직도 멀었다는 것을 깨닫게 된
다. 소통하지 못함으로써 많은 것을 실패했고, 능력을 기르지 않고 시
간을 허비하며 지금의 내 시간을 낡은 시간으로 만들어버리는 우(愚)
를 범하고 있는 나를 보면서, 도대체 얼마나 더 많은 생각과 학습을
해야 인생을 알게 될지 고민하지만 좀처럼 답을 얻지 못한다.

"실수를 해보지 않은 사람은 한 번도 새로운 것을 시도해보지 않
은 사람이다"는 말이 있다. 그러나 실수했을 때 핑계를 대거나 그 실
수의 원인으로부터 도망가려 한다면 실수가 아주 나쁜 습관이 될 것
이 분명하기에 그것을 줄이고자 이 책을 썼다.

성공에는 엘리베이터가 없다. 반드시 계단으로 올라가야 한다. 구
겨진 종이가 가장 멀리 날아가듯이 좀 구겨졌다고 해서 슬퍼하거나
주저앉아 낙담할 필요도 없다. 어차피 사는 것 자체가 주름이다. 성공
한 사람들의 공통점은 성공할 때까지 결코 멈추지 않았다는 것이다.

헛스윙을 하더라도 스윙을 하는 것이 중요하다. 헛스윙이 잦으면
어느 날 홈런을 치는 날도 올 것이다. 헛스윙이 무섭고 헛스윙 이후
의 비난이 두려워 스윙 자체를 하지 않는다면, 인생이라는 마운드에

서 절대 프로가 될 수 없다.

과감하게 헛스윙하자. 나이가 무슨 상관이며 경험이 무슨 상관이랴. 지금 이 순간이 모두 경험이 되고 내일을 위한 헛스윙이 될 것이다.

망설이거나 주저하지도 말자. 원래 세상의 모든 길은 다 처음 가는 길이었다. 자주 가본 길만 가는 것은 재미도 없거니와 다른 것을 볼 수도 없다. 너무 좁고 작게 사는 것 아니겠는가? 어떤 것을 하겠다고 마음먹으면 뿌리를 뽑아보자. 지나고 났을 때 내가 나를 '미쳤었다'고 할 만큼 과감하게 변화를 시도해보자. 그래야 돌파구가 보인다.

실패의 늪에서 움츠리고 있는 사람, 자신감을 잃어 오도 가도 못하는 사람, 무언가를 했으면 좋으련만 무엇을 어떻게 해야 될지 모르는 사람, 사람에게 상처받아 다시는 사람이 그립지 않은 사람, 이렇게 어디엔가 상처와 두려움이 있는 분들에게 이 책이 좋은 읽을거리가 되었으면 좋겠다.

내가 먼저 변하지 않으면 세상이 나를 변하게 만든다.

굿마이크 표영호

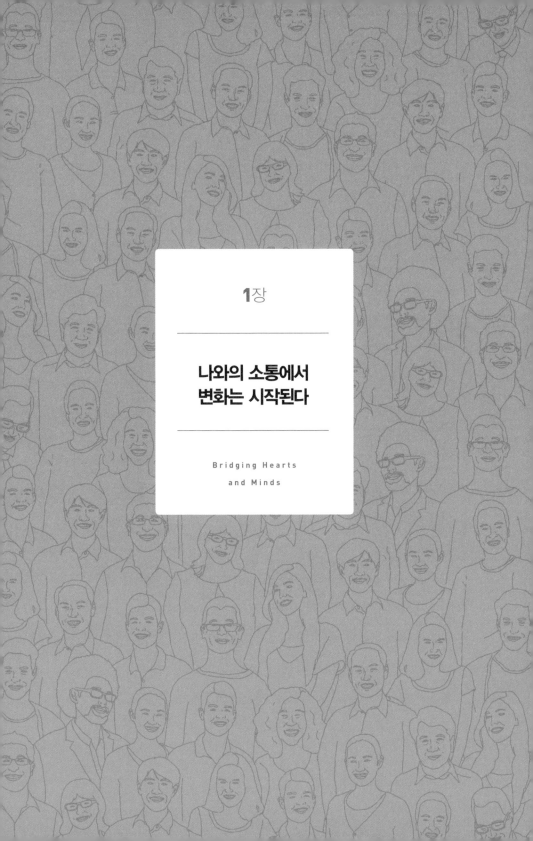

1장

나와의 소통에서
변화는 시작된다

Bridging Hearts
and Minds

우리는 페르소나를
쓰고 산다

.

맛집에서 주문한 음식이 맛깔스럽게 나오면 "잠깐만, 사진부터 찍고!"라고 외치는 사람들이 있다. 이렇게 찍은 사진들은 대부분 SNS에 예쁘게 올라간다. 해외 여행지에서 찍거나 유명한 사람과 함께 찍은, 남들이 부러워하며 '좋아요'를 누를 만한 사진들도 SNS의 단골 손님이다.

사람들은 다른 사람에게 자신이 그럴싸하게 사는 것처럼 보이길 원한다. 집에서 김치와 계란프라이 놓고 대충 차려 먹은 밥상 사진은 절대 올리지 않는다. 내가 보기 위한 것이 아니라 보여주기 위한 사진, 즉 남들이 볼 것으로 생각하고 올리는 사진이기 때문이다. 그래서 SNS에는 자신을 과시하는 게시물들이 난무한다.

그런 사진을 본 사람들은 박탈감에 빠진다. 고급 레스토랑에 앉아 여유롭게 값비싼 음식을 만끽하고 있는 사진을 보면, 그 사람은 매일 그렇게 사는 것처럼 생각되어 상대적으로 박탈감을 느끼는 것이다. '다른 사람은 저렇게 행복해 보이는데 나는 왜 이렇게 힘들까?'

그런데 자기 글의 '좋아요' 개수를 확인하는 당사자는 사진 속 자신만큼 행복할까? 불행하게도 대부분은 그렇지 않다. SNS에 드러난 모습은 '페르소나'를 쓴 모습이기 때문이다.

우리는 가끔 화가 나도 웃으며 상대를 대하거나, 불공정한 게임이라고 속으로는 불평하면서도 괜찮다고 말하는 경우가 있다. 이렇게 감정과는 다른 얼굴을 하고 스스로를 위로하며 타인에게 자신의 속마음과는 다른 얼굴을 보여주는 것을 나는 '페르소나를 썼다'라고 말한다. 페르소나(persona)는 라틴어로 가면이란 뜻으로 '외적 인격' 또는 '가면을 쓴 인격'을 말하며, 심리학적 관점에서는 본래의 성격과 상관없이 '남에게 보여주고 싶은 성격'을 말한다.

우리는 누구나 조금씩 마음의 가면을 쓰고 산다. 시험에 응시한 사람이 "합격자 명단에 없습니다"라는 말을 들었을 때, 도움을 요청한 친구에게 "도와줄 수 없어, 미안"이라고 거절당했을 때, 사랑하는 연인에게 "우리 그만 헤어지자"라는 난데없는 이별을 통보받았을 때, 우리는 속으로 피눈물 흘리면서도 의연한 척을 한다. 그런 자신의 모습이 본심에서 나온 게 아니란 것을 잘 알면서도 애써 감정을 감추는 것이다. 이와 같은 상태를 페르소나 상태라고 한다.

'그 사람 착한 것 같아', '성격이 좋은 것 같아'라는 말을 들으면,

실제로 착하지도 성격이 좋지도 않은데 착하게 행동하려고 한다. 착한 역할을 연기하는 배우처럼 말이다. 또한 열심히 최선을 다하는 사람이라고 인정받으면, 남들의 기대치만큼 해내고 책임지려는 행동을 보인다. 이는 긍정적 페르소나라고 할 수 있다.

반면에 부정적 페르소나도 있다. 어떤 사람을 좋은 사람으로 생각하고 있었는데 이중적인 면을 극명하게 본다든지, 말과 표정은 착했는데 알고 보니 마음이 못됐다든지, 내 편인 줄 알았는데 뒤통수를 치고 배신했다든지 할 때 우리는 상처를 받는다. 남들에게 그럴싸하고 좋은 사람으로 보이려는 페르소나 때문에 그 사람의 실체를 알아채지 못하고 있다가, 나중에 본모습을 알고 상처받게 되는 것이다.

어느 부부가 이혼하고, 어느 커플이 이별을 결심한다. 한마디로 속았다는 것이다. 서로 열렬히 사랑을 구할 때에는 보지 못했던 페르소나를 지금에서야 보게 되었기 때문이다. 그동안 한없이 다정하게 애정을 주던 그는 온데간데없고 다른 사람이 되어 옆에 있을 때 '이 사람이 그때 그 사람 맞나?'라는 생각이 들기도 한다. 겉으로 표현된 페르소나를 믿고 있다가 상대방의 진짜 내면을 알게 되면서 큰 상처를 받은 것이다. 페르소나를 쓴다는 것은 분명 긍정과 부정이 공존한다.

페르소나는 특별히 가식적인 것이 아니다. 어쩌면 우리는 페르소나를 매일 쓰고 있다. 집에 늦게 귀가하는 것을 걱정하는 애인에게 일찍 들어갔다고 말한다든지, 밤늦게까지 친구들과 놀았으면서 부모님께는 야근하다가 늦었다고 거짓말한다든지, 못 먹어본 음식인데 먹어봤다고 말한다든지, 지위가 높은 사람을 모르면서 잘 안다고 이야기한다든지…. 나를 과시하기 위해서, 상대방의 비난이 두렵거나 기대에 부응하기 위해서, 그리고 상대가 나에 대해 괜한 오해를 하지 않게 하기 위해서 우리는 작은 페르소나를 쓰고 본연의 얼굴과 다른 얼굴을 하고 산다. 나는 이런 사람들 모두 페르소나 증후군을 가졌다고 본다. 그래서 우리는 다 페르소나 증후군이 있다.

나는 라디오 프로그램에서 국회의원, 장관, 차관, 저명인사와 토크쇼를 진행했다. 그러다 보니 방송 후에 그 사람들과 함께 찍은 사진을 SNS에 올리는 경우가 있다. 그러면 이런 댓글이 달리기도 한다.

"명강사로 등극하더니 정치하려고 하시는군요?"

물론 오해다. 진도가 나가도 너무 나간 거다. 사실 그분들 중에는 친한 사람도 있지만 대다수가 방송하면서 처음 본 사람들이다. 함께 방송한 후에 지극히 의례적인 인사치레로 '다음에 식사 한번 하자'는 정도의 인사를 나누고 헤어진 것이 전부다.

나뿐만 아니라 SNS를 이용하는 다른 사람들도 대부분 마찬가지일 것이다. 잘나가는 사람과 사진 찍고 친분을 과시하는 것처럼 보이지만 정작 그 사람과는 한 번밖에 안 본 경우가 많다. 그럼에도 끊임없이 그런 사진을 올린다. 그 사진을 본 사람들은 '저 사람은 네트워크가 대단한 사람이구나'라고 오해하기도 한다. 남들로 하여금 오해하게 하려는 나쁜 의도가 있었던 것이 아니라 사실 그대로를 찍어서 올렸는데도, 결과적으로 과대포장이 되어버리는 것이다.

나는 한 달에 강의를 15번 정도 한다. 그런데 청중이 20~30명 있는 강연에서는 사진을 찍지 않고 400~500명 있는 강연에서 사진을 찍어 SNS에 올린다. 그런 사진을 본 후배들은 부러워하며 상대적 박탈감을 느끼기도 하는데, 그럴 필요는 전혀 없다. SNS에 자랑스럽게 올려진 일들은 그 사람에게도 어쩌다 일어나는 일이고, 우리 각자에게도 좋은 날은 찾아오게 마련이기 때문이다. 당신도 좋은 날의 사진을 찍어 올리면 다른 사람들이 당신을 부러워할 것이다.

왜 우리는 이렇게 가면을 쓰고 사는가?

'내가 다른 사람에게 어떻게 보일까'를 염려하기 때문이다. 현대사회는 서로 소통하지 않으면 살 수 없는 구조로 되어 있기 때문에, 나 이외의 다른 사람을 신경 쓰지 않고는 살아갈 수 없다. 생각해보자. TV 프로그램 〈나는 자연인이다〉의 주인공처럼 혼자 산속에서 자급자족하며 살아가거나, 농경사회에서처럼 가족들이 농사지어 충분히 먹고살 수 있다면 주변 사람을 그렇게 신경 쓰지 않아도 된다. 하지만 현대사회에서는 누군가에게 제품이나 서비스를 팔아야 하고, 누군가가 나를 방문해야 하고 나도 누군가를 방문해야 하며, 남들이 좋아하고 원하는 것을 알아내어 공급해야 먹고살 수 있다. 혼자서는 아무것도 할 수 없다. 그러니 다른 사람이 나를 어떻게 생각하는지에 민감할 수밖에 없고, 가면을 쓰게 되는 것이다.

그러므로 가면을 쓰지 않으려면 다른 사람이 나를 어떻게 보는지 신경 쓰지 말아야 한다. 사람들은 내가 나타내고자 하는 것보다 자기들이 보고 싶은 것만 보고, 듣고 싶은 것만 듣는다. 비키니를 입은 여자가 생선 두름을 들고 있는데 어떤 사람은 생선의 종류에 관심을 두고, 어떤 사람은 비키니 입은 여자에게만 관심을 두고, 또 어떤 사람은 비키니 크기에 관심을 두듯, 자기 관심사대로 보고 듣는다. 사람들은 보는 것을 믿는 게 아니라 믿는 것을 본다.

스위스의 심리학자 칼 구스타프 융(Carl Gustav Jung)은 페르소나를 가리켜 "일상생활을 영위하기 위해 필요한 조건들에 따르는 태도"라고 했다. 그런가 하면 『논어(論語)』에서는 "자신을 알아주는 사람이 없어도 걱정하지 말고 알아주는 사람이 되기를 구해야 한다"고 했다. 남에게 잘 보이려고 애쓰다 보면 정작 본인이 어떤 사람인지 놓치는 경우가 많아 더욱 힘들어진다. 내가 만일 부족하다면 부족한 나를 다독거리고 인정할 필요가 있다. 어차피 사람들은 자신들이 보고 싶은 대로 보고 믿고 싶은 것을 믿는데, 그 기준에 너무 맞추려고 전전긍긍하면서 자신의 심신까지 해치지 말자는 이야기다.

우리가 가면을 쓰는 또 다른 이유는 '비교' 때문이다. 상대적으로 나아 보이고 싶은 심리 때문에 SNS 속 우리는 현실보다 더 잘난 모습을 하고 있다. 페이스북을 하는 사람 중에는 친구가 많은 것을 자랑하는 사람들이 많다. 원래 SNS는 저장이나 추억보다 홍보의 개념이 강하다 보니 사람들이 타인의 관심인 '좋아요'에 대한 압박감에 시달리기도 한다. 단체 카톡방이나 밴드에서 내가 쓴 글을 몇 사람이나 읽었는지 수시로 체크하고, 누가 '좋아요'를 눌렀는지 체크하느라 귀한 시간을 쓰는 것이다.

페이스북에는 행복에 관한 콘텐츠가 80%가 넘는다. 우리나라 사람들의 행복지수는 세계 최하위권인데, 왜 페이스북에는 행복이 넘쳐날까? 그 이유를 나름대로 생각해봤더니, '좋아요' 때문인 것 같다. 요즘엔 몇 가지 표정이 더 생겼지만 예전에는 글에 대한 반응으로 '좋아요'밖에 없었다. 우울한 글이나 슬픈 글에 '좋아요'를 누를 수 없으니까 그런 글에는 반응이 없다. 그러다 보니 페이스북에는 '좋아요'를 불러들이는 행복에 관한 글이 많은 것이다.

그러면 이야기는 확실해진다. 페이스북에는 행복이 넘치지만 현실 속에는 그 정도로 행복이 넘쳐나지 않는다. 그러니 그 간극을 명확히 인지하고 페이스북을 접해야 한다. 페이스북이나 카카오스토리를 보다가 남의 인생과 비교가 되어 '내 인생이 엿 같다'고 생각되면 SNS를 끊어야 한다. 그것이 나와의 소통이다. 단, 그것을 인내하고 즐길 수 있다면 충분히 타인의 페르소나를 받아들여야 한다. 그것이 타인과의 소통이다.

2011년 〈경향신문〉의 기획시리즈 '복지국가를 말한다'에서 연애·결혼·출산을 포기하는 3포 세대라는 말이 처음 등장한 이래, 연애·결혼·출산·인간관계·내 집을 포기한다는 5포 세대, 이제는 희망과 꿈까지 포기한다는 7포 세대라는 용어가 등장했다. 슬프고 미안하고 좌절감마저 들게 하는 용어다. 결혼, 취업 등 당연히 누려야 할 것들을 포기하고 자격지심에 빠진 사람들은 '나는 할 수 있다'는 자신감의 페르소나를 써야 한다. 그러다 보면 어느새 그 페르소나가 진짜 얼굴이 되어 자신감이 가득 찬 얼굴로 바뀌어 있을 것이다.

그렇다면 내가 쓰고 있는 긍정적 페르소나를 어떻게 나로 완성할 수 있는가?

페르소나가 형성되면 그것과 일치하는 자세를 만들어라. 그것과 일치하는 스피치를 만들어라. 그것과 일치하는 행동을 만들어라. 처음엔 어색해서 답답할지 모르지만 계속해야 한다. 그러다 보면 습관이 되고, 습관이 되면 페르소나가 아니라 그게 진짜 나인 것이다. 내가 쓴 페르소나는 불가능을 가능하게 하고 불능을 유능으로 바꾸어 준다.

소통은 페르소나를 벗어던져야 가능하다. 민낯을 보여주어야 가능한 것이 소통이다. 숨어 있는 내 속뜻을 이야기하고 나의 있는 그대로를 이야기할 때 비로소 소통은 이루어진다. 그러나 페르소나를 벗어던지기는 쉽지 않다. 민낯을 보여주기란 더더욱 어렵다. 그래서 우리가 쓰고 있는 페르소나를 가장 나답게 바꿔야 한다.

사회생활을 하다 보면 페르소나를 쓴 얼굴만으로 또는 민낯만으로 살 수가 없다. 두 가지 얼굴을 가지고 살 수밖에 없다. 기왕에 두 가지 얼굴로 살아가야 한다면 긍정적 효과를 만들어내는 페르소나를 쓰고, 그 페르소나가 내 민낯이 되는 날까지 나를 만들어가야 한다. 페르소나를 쓴 자신도 남이 아니라 내 자신인 것이다. 소통은 결국 나를 알아야 가능하기 때문이다.

나에게 주는
선물

·

내가 만난 청년 사업가 중에는 이른바 '또라이'가 많다. 독특한 정신세계를 가지고 남다른 행동을 하지만, 나로서는 남들이 하지 못하는 것을 과감히 실천하는 모습에 부럽기 짝이 없는, 나도 그리 되고 싶은 또라이다. 그 또라이 몇 명을 소개해보려고 한다.

여행대학을 차리고 여행업을 하는 강기태 대표는 경남 하동의 이장님 아들로, 한국교원대학교에 입학해 공부하다가 트랙터로 세계여행을 하고 싶다는 꿈을 꾸게 되었다. 아버지에게 트랙터를 빌려달라고 했더니 "네가 이걸 타고 여행을 가면 나는 뭐로 농사를 짓냐!" 며 단박에 거절하셨다. 누가 봐도 당연한 결과였다. 그래서 그는 협찬을 받기 위해 13장짜리 PPT를 만들어 트랙터 업체를 찾아갔지만 거절당했다. 이번에는 그걸 가지고 국회로 가서 하동 국회의원을 만났으나 PPT 내용이 부실해서 다시 한 번 거절당했다. ROTC 장교로 군대에 간 후 계획을 좀 더 구체화하여 36장짜리 PPT로 업그레이드 했다. 제대를 앞두고 우리나라 트랙터 업체 4곳의 회장 이하 실무진 100명에게 메일을 보낸 결과, 한 트랙터 업체로부터 2,600만 원짜리 트랙터와 300만 원의 경비를 협찬 받을 수 있었다. 그야말로 들이대 기의 대가인 셈이다. 그 젊은 패기가 나는 너무 부럽다.

트랙터로 세계여행을 한 그는 또 어느 날 '주섬주섬 떠나는 여행, 오빠랑 섬 탈래'라는 주제로 청년들을 모아서 섬에 쓰레기를 주섬주 섬 주우러 떠나는 여행을 만들었다. 이 여행은 아주 성공적으로 진행 되고 있다. 보통 사람은 생각할 수도 없는 일을 태연하게 들이대어 결 국 해내는 그에게 감탄한 내가 "너 또라이지?"라고 물었더니, 이 근 사한 청년은 해맑게 대답했다. "네, 맞아요, 또라이에요."

처음에는 섬으로 쓰레기를 주우러 가는 일에 관심을 갖는 사람이 없었고 아무도 도와주지 않았다. 하지만 꾸준히 시도하자 워낙 독특 한 콘텐츠였기 때문에 주섬주섬 떠나는 여행이 사람들 입에 오르내 리더니, 요즘은 여기저기서 협찬도 많이 해주고 함께하는 사람도 늘 었다.

그는 한국교원대학교에서 체육교육을 전공했다. 남들은 안정적인 직장이라고 생각하는 체육교사 자리를 마다하고 자유와 재미와 책 임을 찾아 나선 것이다. 그는 경제 불황을 겪으며 좋은 스펙을 갖고 도 몰락하는 것을 본 후 '안정적인 것은 없다'고 생각했다. 그런 생각 이 그를 자유로운 영혼의 젊은 도전자로 만든 게 아닐까? 누구나 알지만 아무나 실행에 옮기지 못하는 삶을 그는 실행에 옮긴 것이다.

약속청년 송재한도 부러운 또라이다. 사진작가인 그는 프리허그와 유사하게 '프리포토'라고 해서 사람들에게 돈을 받지 않고 사진을 찍어 인쇄해준다. 그를 '또라이'라 부르는 것은 사진을 찍어주는 대가가 독특하기 때문이다. 쓰레기를 줍거나 어르신의 짐을 들어드리는 등 '좋은 일을 한 가지 하겠다는 약속'이 바로 사진값이다. 좋은 일을 하겠다고 약속하면 사진을 찍어줘 그를 약속청년이라 부른다.

무뚝뚝한 사람에게는 "가족이나 애인에게 전화를 걸어 사랑한다는 말을 하면 사진 찍어 드릴게요"라고 말하기도 한다. 사랑이라는 단어가 쑥스럽거나 낯간지러운 단어가 아님에도 불구하고, 우리는 사랑이라는 말을 잘 하지 않고 살아서 서로를 힘들게 하는 경우가 많다. 그래서 '사랑해'라고 전화하면 사진을 찍어주는 것이다.

그 역시 내가 "너 또라이지?" 하고 물었더니 "네, 저 또라이에요"라며 활짝 웃었다. 약속청년 송재한은 '이름 없는 학교'의 대표이기도 하다. 학교 밖 아이들, 결손가정 아이들, 학업에서 멀어진 아이들, 또는 몸이 불편한 장애인, 형편이 어려운 청소년을 가르치는 이름도 없는 학교의 대표다. 건물도 없다. 교실이 정해진 것도 아니다.

학교 밖 아이들 중에는 꿈을 어떻게 이뤄야 할지 모르는 아이들이 있다. 아이의 꿈이 요리사라면 그는 유명한 셰프를 찾아가 사정을 이야기하고 요리를 가르쳐달라고 부탁한다. 단 수업료는 무료다. 그럴 경우 그 셰프가 운영하는 식당이 교실이기 때문에 건물이 없어도 학교가 운영되는 것이다. 기타를 배우고 싶은 아이에게는 기타리스트의 연습실이 학교인 것이다.

이런 학교가 전국적으로 꽤 많이 열려 있다. 그는 돈이 생기면 여기에 다 투자한다. 정말 신기한 것은 그의 아내이다. 결혼할 때 "나 이런 일을 하고 싶은데 하게 해줄래?"라는 그의 물음에 아내는 하고 싶은 일을 하라고 허락한 이래, 버는 돈을 모두 이름 없는 학교에 투자하고 무료로 사진을 찍어주고 다녀도 간섭하지 않는다고 한다. 참으로 아름다운 부창부수(夫唱婦隨) 아닌가?

그는 한때 영화 쪽 스텝으로 있다가 일도 어렵고 고생한 만큼 대가도 없어 방송국으로 이직했다. 하지만 방송국에서는 자기가 일한 것보다 더 많은 대가를 받아서 사회에 미안함을 느꼈다고 한다. 참 독특하지 않은가? 그는 방송국을 그만두고 이름 없는 학교를 차렸다.

이 친구에게 앞으로의 계획을 물었더니, '초심을 잃지 않고 살아가기', '초심을 잃지 않고 이 일을 하는 것'이라고 했다. 꿈이 있는 사람은 꿈만 있고 계획이 없을 수도 있다. 그런데 계획이 있는 사람은 꿈을 이룰 가능성이 높다.

취업 전선에서 여러 번 고배를 마신 어느 청년은 무엇을 할까 고민하다가, 시골에서 농사짓는 부모님이 유통업자에게 물건을 싸게 넘기는 것에 주목했다. 얼마나 힘들게 농사지었는지를 아는데 그 결과물이 헐값에 팔려나가는 것을 본 그는, 부모가 지은 농산품을 소비자에게 직접 팔 수 있는 앱을 만들었다. 그리고 그 앱을 무료로 개방했다.

대학에 등록하러 갔다가 벽보에 '현대자동차 ○○명 합격', '기아자동차 ○○명 합격', 이런 것들이 붙어 있는 것을 보고 그 길로 입학을 포기하고 "나는 더 멋지게 살 거다!"를 외치며 이런저런 사업을 통해 큰돈을 번 박황제 대표도 멋진 청년이다. 물론 멋지게 사는 기준이 돈은 아니지만, 대학에서 공부하고 취직하고 진급하는 자기 친구들을 보면서 그는 자신이 더 행복하다고 자신 있게 말한다.

원하는 것을 하나하나 하다 보면 자기도 모르게 커지는 경우가 많다. 이런 청년들을 보면 너무 대견스러워서 부럽기까지 하다. 그리고 나 자신이 한없이 부끄럽고 작아지는 것을 느낀다. 나는 그 나이에 무엇을 했는가? 그토록 진취적이었는가? 이 나이 되도록 앞만 보고 살아왔음에도 많이 나아가지도 못하고 이 자리에서 뱅뱅 도는데, 왜 이들처럼 살지 못했을까?

체육교사를 마다하고 트랙터로 여행하고 사람들을 모아 섬 청소를 떠나는 용기, 이름 없는 학교를 설립하고 아이들의 미래의 꿈을 디자인해주는 어시스터로서 살아갈 용기, 자신의 학창시절을 기업체에 입사하려고 아등바등하기 싫다고 과감하게 박차고 나올 수 있는 용기, 대학 진학을 포기하고 자기 앞길을 헤쳐 나갈 수 있는 용기, 그 얼마나 멋있는 삶인가?

그런 용기를 낸 사람들은 남들이 뭐라 하건 매일매일 행복하다. 자신의 피를 뜨겁게 하는 일을 하면서 살고 있기 때문이다. 하지만 이런 용기가 없어서 평범하게 살아가고 있는 나, 하루하루를 고되게 살아가는 우리들은 어떻게 해야 할까? 우리는 가진 것을 버리지 못했으니 부러워만 하면서 살아야 할까? 아니다.

조직 안에서 사회 안에서 치고받으며 하루하루 고되고 치열하게 살아가는 우리의 삶도 충분히 응원받고 칭찬받을 자격이 있다. 즐겁게 살고 싶지만 마음대로 되지 않아 부대끼며 살다 보면 지칠 수밖에 없다. 우리 대부분이 그렇다. 비록 용기가 없고 꿈의 진도가 늦어도, 그럼에도 불구하고 나에게 상을 주자. 집에 들어가기 전에 편의점에서 맥주 한 캔을 사서 경치 좋은 곳에 앉아 바람을 느끼고 하늘을 보며 맥주를 마시는 간소한 선물이라도 나에게 주자. 집에서 편안한 음악을 듣거나, 자전거를 타고 한강변으로 훌쩍 떠난다거나, 쇼핑몰에서 갖고 싶었던 옷 하나 사는 선물을 나에게 주자. 나는 오늘 수고했으므로, 열심히 오늘을 살았으므로 상을 주어야 한다.

어느 기업에서 강의를 안내하던 비서실 여직원은 한 달에 10만 원씩 적금을 부어서 크리스마스 때가 되면 자기에게 선물을 한다. '1년 동안 열심히 살아온 나야, 수고했어. 참 잘했어!'라고 선물을 사준다는 것이다. 선물은 명품 가방일 수도 있고, 소소한 물건일 수도 있다. 나와 방송 일을 같이하는 라디오 담당 PD는 30대 여성인데, 1년에 한 번씩 혼자 유럽여행을 다녀온다. 힘든 직장생활 속에서 스트레스를 잘 견뎌낸 자신에게 주는 선물이라고 한다. 나는 이들이 너무 멋있다.

한강이 시원하게 보이는 값비싼 식당에서 밥을 먹는 베풂을, 남이 아닌 나에게도 해야 한다. 이것은 사치가 아니다. 나 스스로 위로하고 나 스스로에게 선물할 줄 알아야 한다.

"그래, 나야, 오늘도 수고했어!"

나에게 위로할 줄 아는 나, 나와의 소통이다.

비워야
채울 수 있다

·

요즘은 유튜브나 페이스북 같은 SNS를 통해 음악, 영상 등의 좋은 콘텐츠를 얼마든지 공짜로 이용할 수 있다. 자주 검색해서 찾아보는 콘텐츠가 있으면, 다음에 접속할 때 유사한 콘텐츠 위주로 화면을 구성해 보여주는 서비스까지 친절하게 해준다. PC나 모바일을 이용해 SNS 콘텐츠를 보는 데 익숙해지면서, 사람들은 직접적으로 마주치는 오프라인에서의 대인관계를 소홀히 하게 되었다.

사람들이 직접 만나는 것을 꺼리기도 하고 왔다 갔다 하거나 대기하는 데 소요되는 시간을 아까워하다 보니, 최근에는 직접 은행이나 증권사에 가지 않고도 비대면 계좌를 만들 수 있는 시대가 되었다. 사람을 대면하지 않고도 일을 처리할 수 있어 많은 업종에서 재택근무가 늘고 있다. 하지만 인성 교육이나 동기부여 교육은 그렇지가 않다.

일본에서는 히키코모리(引き籠もり)라고 불리는 은둔형 외톨이가 70만 명에 달하면서 일찍이 사회문제가 되었고, 우리나라에서도 은둔형 외톨이가 20만~30만 명에 달한다고 한다. 은둔형 외톨이로 살 수 있는 것은 집 밖으로 나오지 않고도 모든 일이 가능하기 때문이다. 음식과 식재료, 의류, 생필품 등은 인터넷으로 주문하면 바로 집으로 배달되고, 각종 업무도 집 안에 앉아서 처리할 수 있으며, 게임 등을 하면서 인터넷상의 친구들과 대화도 나눌 수 있다.

하지만 혼자서 모든 것을 해결하는 것이 과연 행복해지는 길일까? 행복해지는 법을 유튜브에서 본들 행복해지겠는가? 매너 있는 사람이 되라는 온라인 강의를 유튜브에서 본다고 해서 매너 있는 사람이 되겠는가? 어림도 없는 일이다. 무엇이든 체화해서 자신의 것으로 만들기 위해서는 직접 경험해야 한다.

그래서 나는 세상의 좋은 이야기를 많은 사람들과 공유할 수 있는 장을 만들기 위해 '굿마이크'라는 사업을 시작했다. 오프라인에서 직접 사람을 대면하는 교육, 강의 현장에서 직접 체험하는 교육을 해야겠다고 생각한 것이다.

굿마이크에서 강의하다가 사람들이 각자 가진 가치를 공유하려고 만든 것이 '굿마이크 LSA(Leader's Speech Academy)'라는 최고위 과정이다. 여기 오는 분들은 공공기관의 기관장, 대기업 팀장 이상, 중소기업 사장, 전문직 종사자 등 리더 계층으로, 수업이 진행되면서 그들의 커뮤니티가 자연스럽게 이루어지는 형식의 교육 프로그램이다.

사람들이 굿마이크 LSA에 오는 목적은 크게 두 가지다. 하나는 스피치 교육이고, 다른 하나는 커뮤니티다. 이 교육과정을 개설한 내 입장에서는 첫 번째가 교육, 두 번째가 커뮤니티, 세 번째가 가치 공유였다. 그런데 실제로 운영해보니 교육을 받는 사람들에게는 첫 번째가 커뮤니티, 두 번째가 커뮤니티, 세 번째도 커뮤니티인 것처럼 보였다. 서로 추구하는 바, 즉 니즈가 다른 것이다.

　보통 이런 최고위 과정은 서울대, 연대, 고대 등 유수의 대학원에서 부동산 최고위 과정, 경영자 최고위 과정, 융복합 최고위 과정 등을 설립해 운영하는 것이 대부분이다. ○○대학이라는 간판이 있어서 많은 사람들이 대학의 이름과 교수진, 그 명성에 걸맞은 자부심이나 전통성을 보고 과정을 수료한다.

　그런데 굿마이크 LSA는 그런 유수의 대학 이름을 걸지 않고 표영호라는 개인이 설립한 강연기업 굿마이크가 간판이다. 대학교나 협회가 아니라 개인이 만든 최고위 과정은 아마 대한민국에서 이것 하나일 것이다. 굿마이크 LSA는 한 기수가 25명 정도로, 12주 동안 매주 1회 수업이 이루어지며, 현재 11기까지 수료를 마쳤다.

　그런데 기업 입장에서 이 최고위 과정은 수익이 나지 않는 이익 모델이다. 모아놓고 보면 앞뒤 기수를 망라하고 원우들끼리 친하게 지내며 좋아한다. 서로의 가치를 공유하면서 발전을 꾀하는 긍정적인 효과가 컸다. 필요한 부분을 채워주며 서로 기댈 수 있고, 거래관계가 되는 등 사업에도 도움이 되는 관계가 형성되었다. 하지만 과정을 마치면 '○○대학 ○○대학원 ○○과정 수료'라는 간판이 주어지는 것도 아니다 보니, 스스로 찾아와 듣는 사람이 거의 없다. 그래서 한 기수 수료가 끝나고 다음 기수가 배출되려면 앞 기수에서 좋은 사람을 추천해줘야 한다. 선배들이 후배가 될 좋은 사람을 추천하고, 그 사람들이 교육을 받은 후에 또 좋은 사람을 추천해야 최고위 과정이 유지되고 발전된다.

그런데 11기까지 오면서 앞 기수를 수료한 사람이 다음 기수를 추천해주는 경우는 한 기수 25명 중 고작 3명 정도에 그쳤다. 스스로 다음 기수에 좋은 분을 소개해주는 사람도 있지만, 사람을 모아 달라고 하면 왜 부담을 주느냐, 그건 너의 일이지 않느냐 하는 사람도 있다. 결국 다음 기수는 주최자인 나의 인맥과 노력으로 모집해야 하는데, 어느 정도 기수가 지나면 인맥에 한계가 온다. 나 혼자 좋은 사람을 모집하고 커뮤니티를 끌고 나가기에는 역부족인 것이다. 신입생 모집 정원 25명을 채우는 과정이 나로서는 너무 힘이 들었다. 그래서 신입생을 모집하는 2~3주 동안은 정말 엄청난 압박감과 스트레스를 안게 된다.

예를 들어 앞 기수에서 추천한 당사자에게 전화하면 "네, 다음 주까지 등록하겠습니다. 찾아가서 뵙겠습니다"라며 흔쾌히 승낙한다. 그런데 그다음부터는 전화를 안 받는다. 어떤 사람은 "내일까지 등록할게요", "죄송합니다. 깜빡했어요. 다음 주에 꼭 등록할게요"라고 답변한다. 차라리 "죄송합니다만, 저로서는 그 과정을 수료하고 싶지 않습니다"라고 거절하는 편이 낫다. 처음에는 서운하겠지만 이후의 기다림은 없기 때문이다. 등록하겠다고 약속해놓고 나타나지 않으면 그야말로 기다리는 사람은 피가 마르는 느낌이다. '다시 한 번 전화해볼까?' '아니, 조금 더 기다려보자.' 숱한 고민을 하다가 다시 전화하면 이번에는 아예 받지 않는다. 이른바 '노쇼(No-Show, 예약을 해놓고 취소 연락 없이 예약 장소에 나타나지 않는 손님)'인 것이다. 겪어보지 않은 사람은 기다리는 고통을 모른다.

좋은 사람이 많이 모이지 않으면 눈물 나게 힘들고 포기하고 싶어진다. 그래서 5기까지 하고 정말 그만두고 싶었다. 안 되는 것을 되게 하려고 부여잡고 노력하는 과정이 나로서는 피가 마르는 심정이었고, 이 애타는 심정을 아무도 몰라줄 때는 서글프기 짝이 없었다. 원우분들 중에는 내 입장을 잘 헤아려 군이 부탁하지 않아도 다음 기수에 좋은 인재를 소개해주고 격려해주는 분들이 있었기에, 그분들의 격려에 힘입어 11기까지 온 것이다.

지금까지는 어떻게든 유지하는 것이 최선이라고 생각했다. 하지만 최근에 생각이 달라졌다. 이 일을 포기하고 싶지는 않지만, 더 나아갈 수 있는 여건이 안 된다면 그만두는 것이 더 발전적일 수 있다고 생각한 것이다. 포기하는 것이 늘 실패인 것은 아니다. 조금만 뒤틀어 생각하면 '발전적인 포기', '창조적인 포기'도 있다. 물론 포기하지 않고 계속 잘하는 것이 가장 좋고, '발전적 포기'니 '창조적 포기'라는 말이 자위라는 것도 안다. 하지만 그동안 정말 열심히 했기에, '영호야, 참 잘했어. 지금까지 만들어왔던 너의 정신과 도전과 성의가 있다면 또 다른 새로운 것을 만들어서 도전해도 잘할 거야' 하고 스스로 위안을 한다.

이 결정을 내리기 전까지는 중간에 그만두면 욕먹지 않을까 하는 염려가 나를 지배했다. 또 실패한다는 것이 스스로 용서가 안 된 적도 있었다. 하지만 곰곰이 생각해보면 지금까지 온 것 자체가 대한민국에서는 처음 있는 일이고, 또 지금까지 너무 잘해왔다. 그리고 한계에 부딪힌 지금, 포기하는 것은 포기가 아니라 새로운 창조다.

"그래, 잘했다. 지금은 힘들지만 열심히 살아온 영호야, 참 잘했다. 여기까지는 훌륭했다."

스스로 공과(功過)를 인정하고 이렇게 마음먹고 나니 마음이 많이 편해졌다. 지금 이 일을 그만두는 것이 포기일 수 있지만, 비워야 채울 수 있다는 진리를 생각하면 마음이 가벼워지면서 새로운 희망이 용솟음치는 것이다. 손에 잡은 것을 놓아야 다른 것을 잡을 수 있다. 그리고 새로 잡는 것이 무엇이든지, 지금의 경험을 바탕으로 하기에 더 발전된 형태일 것이다.

2016년 6월 21일, 피카소의 초기 입체파 작품인 「앉아 있는 여인(Femme Assise)」이 영국 런던 소더비 경매에서 4,320만 파운드(약 733억 원)에 낙찰되었다. 1년쯤 전인 2015년 5월에는 피카소의 「알제의 여인들(Les Femmes d'Alger)」이 미국 뉴욕 크리스티 경매에서 1억 7,936만 5,000달러(당시 1,968억 1,721만 원)에 낙찰되어 미술품 경매 최고가 기록을 경신하기도 했다.

이렇게 놀라운 가격의 피카소 그림들은 우리가 알고 있는 형태를 갖추고 있지 않다. 그림을 볼 줄 몰랐던 시절에는 피카소 그림을 보고 '나도 이보다는 잘 그릴 수 있겠다'고 생각한 적도 있다. 그러나 성인이 되어 예술을 보는 눈이 어느 정도 생기자, 피카소의 그림은 전혀 다르게 다가왔다. 피카소는 우리에게 익숙한 형태를 포기하고 파괴하여 재창조하고 재배치함으로써, 앞모습과 옆모습, 정면과 측면, 외면과 내면을 표현한다. 우리 눈에는 보이지 않는 사물 이면의 숨겨진 진실과 형태를 보여줌으로써 예술을 완성시킨 것이다. 그가 형체를 포기하지 않았더라면 이런 예술 작품이 나올 수 있었을까?

미래를 새로 창조해내기 위해서는 과거를 포기해야 한다. 지금 손에 들고 있는 것, 지금 나를 만족시키는 것, 지금 내가 집착하고 있는 것을 포기하지 않으면 새로운 미래는 오지 않는다. 우리는 흔히 현재에 만족하지 않으면서도 지금 당장 얻을 수 있는 수입이나 급여에 얽매여서 현재 상태를 그대로 유지하곤 한다. 현재를 포기하고 미래에 투자하기 위해서는 어느 정도의 리스크를 안고 가야 하는데, 불확실성이 두려워 실행에 옮기지 못하는 것이다. 예를 들어 직장을 그만두고 창업하거나 겨우 현상유지 상태인 사업을 포기하고 새로운 사업을 시작하려고 할 때, 정기적으로 받았던 월급이나 그나마 있던 현상유지 상태의 수입보다 적을까 봐 겁이 나는 것이다.

서커스에서 그네 타기 공연을 본 적이 있을 것이다. 공중 높이 매달린 그네를 타고 아찔한 묘기를 부리던 곡예사가 반대쪽에서 오는 그네로 옮겨가려고 할 때 어떻게 하는가? 현재 타고 있던 그네의 줄을 놓고 반대쪽 그네의 줄을 잡는다. 만일 반대쪽 줄을 못 잡을까 겁이 나서 지금 잡고 있는 그네의 줄을 놓지 못한다면, 바닥으로 추락하지는 않겠지만 공연은 실패하게 된다. 가지고 있는 것을 버려야 새로운 것을 얻을 수 있다. 새로운 도전, 창조, 기회를 방해하는 것은 지금 가진 것을 포기하지 못하는 우리의 마음이다.

140년 전에 토머스 에디슨(Thomas Edison)이 창업한 글로벌 기업 GE의 제프리 이멜트(Jeffrey Immelt) 회장은 2016년 4월 한국에서 열린 이노베이션 포럼에서 "어떤 기업을 성공으로 이끌었던 요인들이 나중에는 실패의 요인이 된다. 이것이 '이노베이터 딜레마(Innovator's Dilemma)'이며, 여기에 빠지지 않아야 한다. 가장 중요한 성공의 열쇠는 러닝(learning)이 아니라 언러닝(Un-learning), 즉 배웠던 것을 잊어버리는 것이다"고 했다. 이를 위해 GE는 2007년도에 가장 잘나가던 계열사 중 하나인 GE 플라스틱을 매각하고 에너지 분야에 투자했는데, 현재 가장 많은 성장과 수익을 올리는 것이 바로 에너지 사업이라고 한다.

살다 보면 인생의 터닝 포인트가 온다. 터닝 포인트는 대부분 가장 어렵고 힘들다고 느껴질 때, 바뀌지 않으면 살 수 없을 때 오기 마련이다. 동트기 전 새벽이 가장 어둡다. 도저히 앞이 보이지 않을 때 태양이 다시 떠오르고, 터닝 포인트를 지나야 성공의 길로 들어설 수 있다. 그러니 포기를 두려워하지 말자. 포기하는 그 순간이 바로 새로운 시작이기 때문이다. 지금 내가 부여잡고 있는 것이 다인 것 같지만, 내려놓고 돌아서 보면 정말 아무것도 아닐 수 있다. 힘들면 가끔은 내려놓은 것도 방법이다.

달려오던 길이 한계에 부딪쳤을 때 스톱을 외칠 수 있는 용기가 있어야 한다. 여기서 스톱은 아예 멈춰버리는 것이 아니라 잠시 멈춤이다. 잠시 멈춰서 뒤도 돌아보고 옆도 보면서 나아갈 방향을 잃지 않았는지 점검하는 시간이 필요하다. 멈춰야만 비로소 보이는 것들이 있다.

우리가 달려가는 생의 도로에 늘 초록불만 켜져 있을 수는 없다. 주변을 돌아볼 틈 없이 달려가다 보면 교차로나 건널목에서 빨간불을 만나게 되고, 빨간불을 만나면 우리는 잠시 주변을 둘러보며 멈춰야 한다. 하지만 그 빨간불도 언제까지나 빨간불은 아니다. 곧 초록불이 들어올 것이고, 그러면 멈췄던 우리는 다시 앞날을 향해 전진하면 된다. 봄에 싹이 나고 여름에 무성해졌다가 가을에 열매까지 맺으며 한껏 풍성해졌던 나무들이 겨울을 맞이하여 잠시 쉬어가듯 말이다. 겨울은 결코 차가운 죽음의 계절이 아니다. 봄을 기다리는 나무들이 체력을 비축하며 잠시 멈추는 빨간 신호등이다.

나는 다시 굿마이크 LSA 12기와 가치 공유 포럼 '굿마이크 V300'을 탄생시켰다.

모든 적은
내 안에 있다

.

우리나라 사람들은 '멋'이라는 말을 아름답다거나 예쁘다는 말보다 더 주관적으로 사용한다. 사전적 의미로 멋은 '옷이나 얼굴 따위의 겉모습에서 드러나는 세련되고 아름다운 맵시', '사람이나 사물에서 엿보이는 고상한 품격이나 운치, 기분이나 취향'이라고 되어 있다. 하지만 우리가 누군가를 멋있는 사람이라고 하거나 무언가를 보고 멋있다고 할 때, 그 기준은 사람마다 다르다. 그런데 흥미롭게도 '멋있다'는 말이 일치되는 분야가 있다. 직장인들에게 어떤 사람이 멋있는지 물었을 때, 응답자의 90%가 '자기 일에 최선을 다하고 일에 열중하는 사람이 멋있다'고 답한 것이다.

멋있는 사람에게 끌리는 것은 당연하다. 그러니 열심히 일하는 사람에게는 많은 사람들이 끌리게 된다. 개인적으로도 멋있어 보이는 여자는 겉모습이 예쁘고 섹시한 여자가 아니라, 자기 일을 프로처럼 열심히 하는 여자다. 열심히 자기 일을 잘 해내는 여자를 보면 왠지 나도 모르게 그 여자가 멋있어 보인다.

동업이나 협업을 하는 사람들 중에는 파트너를 무한 신뢰하는 사람들이 있다. 어떤 면에서 그토록 신뢰하는지 물어보면, 일에 열중하는 자세가 너무 좋아서 자연스럽게 신뢰가 간다고 한다. 상대의 열정과 의지를 보고 나면, 같이 일하는 사람들 모두가 그 과제에 열중하게 되니 성과가 좋을 확률이 매우 높은 것이다.

사람들은 대부분 유머 있는 사람, 친절한 사람, 배려심 많은 사람, 잘생긴 사람, 착한 사람을 좋아한다. 그러나 일 잘하는 사람보다는 후순위다. 일을 못하는 사람이 유머가 있으면 그는 실없는 사람이요, 일을 못하는데 친절한 사람은 오지랖 넓은 사람이다. 일도 못하면서 배려심이 많으면 그냥 착한 사람이고, 잘생긴 사람이 일을 못하면 얼굴값 못하는 사람이다. 좋은 사람이긴 하지만 멋있는 사람은 아닌 것이다.

직장에서 다른 부서에 있던 직원이 우리 팀으로 오면 팀장끼리 만나서 그 직원에 대한 정보를 나눈다.

팀장 A: 그 친구 일 잘해?
팀장 B: 착해.
팀장 A: 헐!

왜 착하다고 하는데 팀장 A는 '헐!'이라는 부정적인 반응을 보일까? 팀원으로 착한 사람이 아니라 일 잘하는 사람이 오기를 원하기 때문이다. 직장에서 업무를 수행할 때 '착하다'는 것은 조직의 성과에 아무런 도움이 되지 않는다는 말과 다르지 않다. 열심히 일한 사람은 실패해도 인정해준다. 3M 같은 회사에서는 실패 챔피언을 뽑아 상금을 주고 그의 노고에 감사를 표한다. 정말 일을 열심히 잘하는 사람, 최선을 다하는 사람이 멋있는 사람이다.

직장에서 멋있는 사람에 대해서는 대부분 의견이 일치하지만, 사회생활이나 취미생활, 친구나 연인으로 만나는 사람에게서는 멋있는 면이 여러 가지로 나타난다. 상대방의 잘못을 알고도 굳이 내색하지 않는다든지, 어떤 경우에도 항상 예의가 바르다든지, 자신의 이익보다 남의 이익에 관심을 가진다든지 하는 사람을 만나면 참 멋있다.

생각할수록 좋아지는 사람이 있다. 그 사람을 발견하고 알아가는 과정이 기쁜 사람, 그런 사람은 곁에서 바라만 봐도 왠지 부자가 된 것 같아 흐뭇한 미소가 절로 나온다. 반면에 일을 시키면 집중하지 않고 빈둥대거나 대충하거나 설렁설렁 하는 사람이 있다. 그런 사람은 결과도 썩 좋지 못한 경우가 많다. 다른 사람 눈의 티끌은 잘 잡아내면서 자신의 눈에 있는 대들보는 알아채지 못하는 사람, 다른 사람에게는 야박하면서 자신에게는 관대한 사람, 이런 사람은 절대 섹시하지 않다. 한마디로 멋없다.

직구로 들어오는 공을 노리고 힘껏 방망이를 휘둘렀지만 헛스윙

해서 아웃당한 야구선수가 화를 내면서 방망이를 집어던지고 더그 아웃으로 들어갈 때, 나는 이 선수가 멋있어 보인다. 방망이를 던지고 화를 내는 것이 멋있는 것이 아니라, 최선을 다하고 몰두해서 공을 치고자 하는 정신 상태가 멋있는 것이다. 그토록 집중해서 치고자 했음에도 결과가 마음대로 되지 않았기에, 그는 그 많은 관중이 보는 앞에서 방망이를 집어던지는 것이다. 어떤 일을 하든 맡은 일에 열중하고 주어진 과제를 악착같이 해내는 사람이 나는 참으로 멋있다.

나도 멋있는 사람이 되고 싶다. 내가 갖지 못한 것을 채워서 멋있는 사람이라는 이야기를 듣고 싶다. 그런데 나이가 들어가면서 전문성도 없고 프로의식도 없다면 어디에서 멋을 찾을 수 있을까? 멋은 옷을 잘 입거나 피부 미백을 하거나 미용실에서 최신 스타일로 머리를 세팅한다고 해서 얻어지는 것이 아니다. 어떤 사람이 되면 나도 멋을 가질 수 있을까?

얼마 전 SK하이닉스에 강연을 갔는데 그곳 모토가 '독해지자'였다. 다른 사람에게 독하게 행동하라는 이야기가 아니라 구성원 하나하나가 독해져야 강한 기업이 된다는 것이다. 즉, 자신에게 독해지라는 것이다. 제품을 생산할 때도 작은 것 하나까지 완벽을 기하고, 외국 바이어나 고객을 대할 때도 틈을 보이지 말고, 고객의 작은 불만 하나도 얼렁뚱땅 어물쩍 넘어가지 말라는 뜻이다. 그렇게 독해져야 중국에서 넘보는 반도체 산업을 빼앗기지 않고 리드할 수 있다며, 전 사원이 '독함'으로 무장하고 똘똘 뭉쳐 있었다.

나는 지금까지 '독하다'는 것과는 거리가 먼 삶을 살아왔다. 어쩌면 독하지 못했기 때문에 내가 지금의 내 모습에 만족하지 못하고, 스스로 '멋있는 사람'은 아니라고 판단하게 되었는지도 모른다. 그래서 나도 좀 독해지기로 했다. '독해진다'는 것은 자신에게 엄격해진다는 것이다. 일 하나를 하더라도 알차게 꼼꼼하게 처리하고, 게으름 피우지 않고, 핑계대지 않고, 지금 해야 할 일을 다음으로 미룸으로써 일을 그르치지 않는 것, 이것이 내가 갖고 싶은 '독함'이다.

세상에서 가장 강한 적, 가장 이기기 어려운 적은 자기 자신이다. 자기 자신과의 싸움에서 이기는 사람은 인생을 성공으로 이끌 수 있다. 게으름, 나태함, 두려움, 유혹, 자신감 결여 등 성공으로 가는 길을 가로막는 모든 적은 바로 자기 자신 안에 있기 때문이다.

멋있는 여자들의 10가지 행동수칙

몰도바 출신의 세계적인 바이올리니스트 세르게이 트로파노프(Sergei Trofanov)가 말한 멋있는 여자들의 10가지 행동수칙이다.

1. 독립심을 유지한다.

잘나가는 회사의 CEO든 레스토랑의 웨이트리스든 상관없다. 그녀는 정직하게 번 돈으로 생활한다. 그녀에겐 품위가 있기 때문에 남자에게 손을 벌리지 않는다.

2. 남자를 쫓아다니지 않는다.

태양과 달과 별이 그를 중심으로 돌지 않는다. 그의 거대한 수성이 그녀의 작은 금성에 역행할 때는 그를 무시한다. 그녀는 그를 쫓아다니거나 감시하지 않는다.

3. 신비롭다.

정직한 것과 자신을 완전히 까발리는 것은 분명 다르다. 그녀는 정직하지만 모든 것을 내보이진 않는다. 지나치게 허물없이 굴면 무시당하고 늘 똑같이 행동하면 권태로움이 싹튼다.

4. 그가 2% 부족함을 느끼게 내버려둔다.

그녀는 매일 그와 만나거나 그의 휴대폰에 긴 메시지를 남기지 않는다. 남자들은 허전함을 채우고 싶은 갈망을 사랑과 동일시한다. 갈망하는 것은 좋은 것이다.

5. 흥분한 모습을 보이지 않는다.

그녀는 대화가 거칠어지면 중단하고, 화가 난 상태에서는 대화를 피한다. 머리가 맑아졌을 때 비로소 간결하게 '요점'만 말한다.

6. 자기 시간을 스스로 통제한다.

그녀는 자신만의 리듬을 따르며, 그가 자신을 통제하도록 내버려두지 않는다.

7. 그녀는 유머감각을 유지한다.

유머감각은 그녀의 초연함을 보여준다. 그러나 무시당했을 때는 결코 웃어넘기지 않는다.

8. 스스로를 높이 평가한다.

그가 칭찬해주면 애써 부인하지 않고 고맙다고 말한다. 그녀는 그의 예전 여자친구가 어떻게 생겼는지 묻지 않으며, 다른 어떤 여자와도 자신을 비교하지 않는다.

9. 모든 일에 열정적이다.

남자는 자신이 그 여자의 '전부'가 아니라고 느낄 때 그녀를 더 원하게 된다. 여우는 바쁘게 생활하기 때문에 그가 늘 곁에 있어주지 않아도 화내지 않는다. 그는 그녀의 머릿속을 독점하긴커녕 그저 손가락 한 마디만 한 공간을 차지할 뿐이다.

10. 남자가 싫어하는 빨간 립스틱도 기꺼이 바른다.

그녀는 외모와 건강을 가꾼다. 한 사람의 자존심은 자신의 외모를 어떻게 다루는지에 반영된다. 그녀는 남자친구가 빨간 립스틱이 싫다고 해도, 자신이 발라서 기분이 좋다면 기꺼이 바른다.

외로움,
당하지 말고 즐겨라

·

어느 유명한 심리학 교수가 '외로운 것이 사람의 운명'이라는 말을 했다. 나는 이 말에 전적으로 동의한다. 아무리 많은 사람들 속에 있어도 사람들은 제각기 자기 세계를 가지고 있으며, 아무리 친한 사람도 다른 사람을 전적으로 이해할 수 없기 때문에, 사람은 외로울 수밖에 없다. 사랑하는 부모자식이나 수십 년 함께 살아온 부부라고 할지라도 서로의 아픔을 대신해줄 수 없고, 자기 몫의 삶은 오롯이 자신이 감당해야 한다.

그런데 우리나라 사람들은 자신이 약하고 외롭다는 사실을 잘 드러내지 않는다. 특히 눈물을 보이지 말라고 어려서부터 교육받은 남자라면 더욱 그렇다. '외롭다'는 말을 자주 하면 다른 사람들 눈에 무능해 보이거나 타인과 어울리지 못하는 성격의 소유자라 여겨질까 봐, 외로워도 외롭지 않은 척하게 된다. 남들에게 말하지 못하기 때문에 우리는 스스로 엄청난 외로움의 스트레스에서 탈출하고자 애를 쓴다. 하지만 탈출하려고 애를 쓰면 쓸수록 우리는 더욱 외로 워지고 만다.

점심 때 가끔 혼자 밥 먹기 싫어 가까운 사람에게 슬쩍 물어본다.

"점심 약속 있지?"

'같이 점심 먹자'라고 할 자신이 없어 '점심 약속 있지?' 하고 여지를 두며 물어보는데, 아니나 다를까 대부분 약속이 있다고 대답한다. 그럴 때는 나만 빼고 다들 스케줄이 많은 것 같아 더 외로워진다. 그러다가 혼자 먹으러 나가기가 싫어서 점심을 건너뛰기도 한다.

그런데 최근 '혼밥', '혼술'이라는 신조어가 생겨났다. 혼자 밥 먹고 혼자 술 마신다는 말이다. 혼밥 하는 사람들에게 이유를 물었더니 '같이 먹을 사람을 찾기 어려워서', '시간이 없기 때문', '시간을 절약할 수 있어서'라는 세 가지의 공통된 답이 나왔다고 한다. 물론 바쁜 사회생활 속에서 개인적인 시간이 부족한 이유도 있을 것이다.

나는 혼밥, 혼술을 이미 아주 오래전부터 실행하고 있다. 예전에는 혼자 밥 먹는 것이 싫어서 굶기가 일쑤였는데, 요즘엔 혼자 밥 먹는 것이 일상화되었다. 연예인이라는 신분을 가지고 식당에 혼자 들어가서 밥을 먹는 것은 상당히 쪽팔리는 일이다. 그런데도 요즘은 혼자 식당에 잘도 들어간다. 주변의 눈치보다는 내 배고픔이 더 큰 모양이다. 나이가 들어가는 증거일까?

그래도 아직은 눈치를 좀 보는 편이기는 하다. 사람이 많은 식당에는 혼자 선뜻 들어가질 못한다. 그래서 가끔, 아주 가끔은 사람들로 북적대는 맛집에 가면 두 사람 분을 주문하고 마치 사람이 또 올 것처럼 행동하며 혼자 밥을 먹은 적도 있다.

우연히 〈나 혼자 산다〉라는 프로그램을 보다가 나는 크게 웃어버렸다. 그룹 신화의 멤버인 김동완이 패밀리 레스토랑에 들어가 혼밥을 너무 자연스럽게 하는 데다가, 혼밥에도 레벨이 있다는 사실을 알았기 때문이다. 혼밥 레벨은 가장 쉬운 1단계부터 가장 어려운 9단계까지 있었다.

1단계는 편의점에서 밥 먹기다. 요즘 편의점에 가면 컵라면부터 도시락까지 갖가지 먹거리가 있을 뿐만 아니라 즉석에서 먹을 수 있도록 전자레인지와 뜨거운 물까지 제공되기 때문에 가장 쉬운 레벨로 책정된 것이다.

2단계는 학생식당에서 밥 먹기, 3단계는 패스트푸드점에서 세트 먹기, 4단계는 분식집에서 밥 먹기다. 5단계는 중국집이나 냉면집 같은 일반음식점에서 밥 먹기, 6단계는 맛집에서 밥 먹기, 7단계는 패밀리 레스토랑에서 먹기다. 패밀리 레스토랑에는 친구들이나 가족 단위로 오는 사람들이 많고, 자주 일어나서 접시에 음식을 덜어다 먹어야 하기 때문에 혼자 밥 먹기는 상당히 어려운 상황임에 틀림없다. 나도 일반음식점에서 혼자 먹어본 적은 있지만 패밀리 레스토랑에서 혼자 먹어볼 만한 배짱과 호사를 누려본 적은 없다. 8단계는 고깃집이나 횟집에서 먹기, 9단계는 술집에서 술 혼자 먹기다.

이 레벨 테스트에 따르면 나의 혼밥, 혼술 레벨은 6단계인 셈이다. 혼술을 하는 것은 분명한데 술집에 가서 혼자 마시는 것이 아니라 주로 집에서 혼자 마신다. 내가 20대 때 처음 술을 마셨던 이유는 술이 좋아서가 아니라 사람들과 자연스럽게 어울리는 것이 좋아서였다. 하지만 나이가 들어갈수록 많은 사람과 왁자지껄 마시는 술자리보다 한두 사람과 조용한 대화를 나누는 것이 좋아졌다. 그러다 보니 나도 모르게 술을 즐겨 마시는 애주가가 되었고, 가끔은 나 혼자 마시고도 싶어졌다.

혼술을 처음 하기 시작한 것은 자주 어울리는 친구들 중에 술을 즐겨 마시는 사람이 거의 없었기 때문이다. 그래서 친구들과 만나 차 마시며 수다를 떨다가 집에 오면 혼자 소주 한 병을 마시고 잠드는 일이 빈번해졌다. 혼자 술 마시는 것은 여러 모로 편하고 장점이 있었다.

우선 옆에서 부추기는 사람이 없으니 주량껏 마실 수 있어서 좋았고, 분위기가 왁자지껄하지 않으니 혼자 조용히 생각하는 시간이 되어서 좋았고, 혼자 한잔하면서 책을 읽을 수 있어서 특히 좋았다. 혼자 술을 마시는 시간은 나에게 주는 일종의 휴식 같은 시간이었다. 나는 술 마시면서 책을 읽다가 졸리면 바로 덮고 잤다. 내 자유 시간이었다. 이게 아주 습관이 되어버린 어느 날 가만히 생각해보니, 진짜 누군가와 같이 마시고 싶은 날도 같이 마셔줄 사람이 없었다.

돌이켜보면 누가 나를 불러서 술 한잔 하자고 하는 경우보다 내가 술 마시자고 사람을 불러낸 경우가 더 많았다. 그것은 어쩌면 다른 사람은 나에게 위안받을 것이 없는데 나는 위안받을 것이 있다든지, 아니면 다른 사람은 내게 필요한 것이 없는데 나는 다른 사람과 소통을 통해 뭔가를 얻으려는 욕구가 큰 것일 수도 있다는 생각이 들었다. 어쩌면 나의 외로움과 연관이 있을 것이다. 나는 외로움을 잘 느끼는 편이라서 지금보다 더 나이가 들었을 때의 나를 생각하면 미리 겁부터 난다. 누군가가 옆에서 떠들어야 잠이 오기 때문에, 잘 때도 텔레비전 뉴스 채널을 켜놓고 눈을 감곤 한다. 그래야 잠이 잘 온다.

외로움이란 무엇일까? 외로움은 결핍이다. 공허하면 외롭다고 느끼게 되고, 외롭다고 느끼면 더 고립되어가는 느낌이 든다. 그래서 사람은 둘이 있으면서도 외로움을 느끼고, 셋이 있어도 외로움을 느끼고, 많은 사람들 틈에서도 외로움을 느낀다. 외로움의 반대말은 뭘까? 우리가 태어나서 죽을 때까지 단 한순간도 외롭지 않은 날이 없기에 외로움은 반대말이 필요하지 않다. 그러면 외로움의 동의어는 뭘까? 외로움의 동의어는 가난이다. 돈이 없으면 외로운 법이다.

외로움이 많으면 독립적인 사람이 되기 힘들다. 외로움을 즐길 줄 알아야 진정한 독립이라고 생각한다. 진정한 독립은 경제적 독립이나 의견의 독립보다도 정신의 독립이다. 그렇다면 어떻게 정신적인 독립을 이룰 수 있을까? 내 인생의 중심을 나에게 두어야 한다. 자기 인생의 중심을 밖에다 두고 살아가는 사람들은 늘 마음이 허한 법이다. SNS에 공개되는 일상들을 가만히 들여다보면 대부분의 경우 중심이 '나'에게가 아니라 '불특정 다수의 여러분'에게 있는 것을 알 수 있다. 허한 마음을 움켜쥐고 외로움을 달래줄 그 무언가를 찾아 여기저기 방황하는데, 우리는 벗어나려 할수록 더 갇히게 되고 그럴수록 더 외롭고 더 허해진다.

강연장에서 강의를 마치고 나면 이런저런 질문을 많이 받는다. 대구 어느 강연장에서 한 대학생이 이런 질문을 했다.

"저는 집을 떠나 대학을 다녀요. 객지여서 진짜 외롭고 힘든데 마음 터놓고 얘기할 사람도 없고, 22살인데 하고 싶은 것도 없고 목표도 없고 그야말로 인생을 왜 사나 싶거든요. 이럴 땐 어떻게 해야 되는지요."

객석에서 웃음이 터져 나왔고 말하는 본인도 웃음이 터졌다. 내가 물었다.

"지금 이 순간도 외로우세요?"

"아니요."

"그럼 언제 외로우세요?"

"집에 가만히 있을 때요."

"학생은 무언가를 해야 되는 사람이에요. 그런데 학생은 꿈이나 목표가 뚜렷해서 무언가를 열심히 하고 있는 것이 아니니까 외로운 거예요. 다시 말하면 무언가를 하고 있을 땐 외롭지 않은 것이 아니라 외로움을 잠시 잊게 되는 거죠. 무언가를 하는 순간에는 그것에 집중하니까 외로운 감정이 들어올 틈이 없는 것이죠. 그래서 학생은 엄청나게 큰일을 할 사람인지도 몰라요. 스스로 외롭지 않으려고 무언가를 끊임없이 해야 한다는 것을 알았으니까…"

가수들에게 언제 가장 외로운지 물어보면 공연이 끝난 직후 혼자 있을 때라고 대답하는 이가 많다. 연극배우에게 물어보면 역시 공연이 끝나고 텅 빈 객석을 볼 때라는 말을 가장 많이 한다. 사업하는 사람들은 어떤 결정을 내려야 할 때 가장 외롭다고 한다. 가까운 사람들에게 조언을 구한다 해도 결정은 결국 자신이 내려야 하고, 그 결정에 따르는 책임은 고스란히 혼자서 감당해야 하기 때문이다. 그리고 결혼한 주부들에게 언제 외롭냐고 물으면 아이들이 어느 정도 크면 외롭다고 한다. 엄마의 손길을 필요로 하지 않기 때문이다. 직장 맘은 가족들이 다 잠든 후가 가장 편안하면서도 외로운 시간이라고 한다. 요컨대 우리 모두는 하나같이 외롭다.

나에게 외로움을 극복하는 방법을 묻는 이들이 많은데, 사실 나도 외롭다. 외로움을 극복하기 위해서 책을 읽고 이런저런 극복법을 찾아 실천해보기도 했다. 둘이면 외롭지 않을까 봐 사랑을 해보아도 잠시뿐, 외로움은 계속 감정의 틈을 비집고 들어왔다. 사랑은 하면 할수록 더 외로워지는 것 같다. 외롭지 않으려면 많이 움직이고 활동하라고 해서 그렇게 해보기도 했다. 하지만 많이 움직이고 많이 활동하는 도중에도 외로움은 잘도 밀고 들어왔다.

이런 노력 끝에 얻은 결론은 이렇다. 외로움은 극복하는 것이 아니다. 외로운 것은 당연한 것이고 외로움은 늘 내 곁에 있으니, 그저 친구라고 생각하고 즐겨야 한다. 누군가 당뇨나 암은 극복하는 것이 아니라 친구라 생각하고 잘 다스리면서 지내야 한다고 말한 적이 있는데, 외로움도 극복하는 것이 아니라 친구가 되어야 한다. 우리가 노후생활을 위해 경제적인 부분을 준비해가듯, 나이가 들어 찾아올 외로움도 준비해야 한다. 사람이 외로운 것은 당연하다. 나만 외로운 것이 아니고 누구나 다 외롭다. 외로운 것을 어디엔가 의지할 것이 아니라 외로운 것 자체가 삶이라고 생각해야 한다. 그러므로 외로움 은 친구다.

아, 삶이란 때론 이렇게 외롭구나
– 이해인

어느 날 혼자 가만히 있다가
갑자기 허무해지고
아무 말도 할 수 없고
가슴이 터질 것만 같고
눈물이 쏟아지는데
누군가를 만나고 싶은데
만날 사람이 없다.

주위엔
항상 친구들이 있다고 생각했는데
이런 날 이런 맘을 들어 줄 사람을 생각하니
수첩에 적힌 이름과 전화번호를 읽어 내려가 보아도
모두가 아니었다.

혼자 바람 맞고 사는 세상.
거리를 걷다 가슴을 삭히고
마시는 뜨거운 한 잔의 커피.
아, 삶이란 때론 이렇게 외롭구나.

성의 있는 삶은
내 인생에 대한 예의다

『공부는 내 인생에 대한 예의다』라는 책이 있다. SAT 만점, 아이비리그 9개 대학 동시 합격, 미국 최고의 고교생 선정 등의 화려한 프로필을 가진 저자 이형진은 이 책에서 자신이 공부하는 이유에 대해 이렇게 말한다.

"공부는 그 누구도 아닌 오로지 자신을 위한 것이다. 언젠가 내가 반드시 하고 싶은, 꼭 이루고 싶은 꿈이 생겼는데, 부족한 준비 때문에 그 꿈을 이룰 수 없다면 깊은 후회가 밀려오지 않을까? 아직은 그 정체가 뚜렷하지 않지만 세상에 분명 내가 잘할 수 있는 일들이 있는데, 그 일을 찾아낼 기회조차 얻지 못한다면 좀 억울하지 않겠는가? 내 자신의 인생에 대해 미안하지 않을까?"

학생인 그가 자신의 인생에 대한 예의를 지키기 위해 열심히 공부하고 학교생활을 한 것처럼, 우리는 우리 인생에 대한 예의를 지키기 위해서라도 하루하루를 성의 있게 살아야 한다. 한 번뿐인 우리의 인생을 성의 있게 살지 않고 방치한다면, 우리는 우리가 발휘할 수 있는 능력의 대부분을 꺼내서 써보지도 못하고 사장시키고 말 것이다.

우리가 얼마나 성의 있게 살았느냐, 이것은 굉장히 중요한 문제다. 나는 직원들을 고용하기 위해 면접을 볼 때, 정말 최선을 다하고 열심히 할 것 같은 직원을 뽑는다. 그런데 뽑아놓고 두세 달이 지나면 업무에 성의는 안 보이고 불만만 보이는 경우가 많다. 직원이 열심히 일하지 않고 근무 시간을 비효율적으로 사용한다면, 그것은 고용주인 나의 손해이기도 하지만 누구보다도 자기 자신의 인생에 가장 큰 손해를 끼친다.

우리 회사의 직원으로 오래 일했던 후배가 있다. 그 친구는 결혼을 잘했다. 여기서 결혼을 잘했다는 것은 지극히 주관적인 평가로, 아내가 좋은 직장과 보통 이상의 외모를 지닌 점잖은 집안의 재원이라는 것이다. 그 아내는 지방방송 아나운서인데, 후배는 아내의 눈 밖에 날까 봐 아내가 퇴근하기 전에 싱크대를 매일 닦는다. 방 청소와 이불 정리, 거실 정리 등을 하고 빨래나 이불을 정리할 때도 군대에서 모포 각 잡듯이 기막히게 한다. 그래서 왜 그렇게 집안일을 열심히 하느냐고 물어봤더니, 그렇게 해놓으면 아내가 퇴근해서 보고 되게 좋아한다는 것이다. 집 안을 완벽하게 정리하지 못하고 나온 날이면 후배는 하루 종일 안절부절못한다.

그런데 아이러니하게도 회사에서는 이 친구가 업무를 엉망진창으로 수행한다. 예를 들어 책상 정리하는 것을 본 적이 없다. 열흘 전에 책상 위에 있던 파기해야 할 서류가 그대로 있는가 하면 볼펜도 여기저기 나뒹군다. 심지어 거래업체에서 보낸 메일을 열흘이 넘도록 열어보지 않는 일도 부지기수다. 우리 업무상 블로그나 밴드 같은 모임방에 공지사항, 행사나 이벤트 소식, 추억거리 등을 올려야 할 때가 있는데, 그런 글마저도 너무 성의 없게 올리는 것이다.

예를 들면, 공지사항이 '다음 주 목요일 저녁 7시에 월례회 모임이 있습니다. 장소는 한강식당입니다'로 끝인 것이다. 내 판단 기준으로는 적어도 이 정도 성의 있는 공지글이 올라가야 한다. '회원 여러분, 더운 여름 잘 보내고 계십니까? 드디어 보고 싶은 얼굴들을 만날 수 있는 월례회 일정이 잡혔습니다. 장소는 음식이 맛있기로 유명한, 둘이 먹다가 하나가 죽어도 모른다는 한강식당입니다. 불참자는 집 앞에 쫓아가서라도 데리고 올 것입니다. 그리고 이번 월례회는 ○○○ 회원님의 진급을 축하하는 자리이기도 합니다. 바쁘시더라도 시간을 내어 꼭 참여해주시고, 축하의 인사말도 전하는 따뜻한 마음을 기대하겠습니다.' 이렇게 공지글을 올리면 참석률 자체가 눈에 띄게 달라진다.

집에 가서는 그렇게 깨끗하게 하는 이 친구가 회사 일은 불성실하게 하면서, 늘 자기의 수입이 적다고 불평했다. 그래서 내가 말했다.

"수입이 적은 것을 해결할 수 있는 방법은 네가 하는 업무를 성의 있게 하는 거야. 누가 일을 잘하고 못하고의 차이는 능력의 차이라기보다는 성의가 있느냐 없느냐의 차이야. 뿌린 대로 거둔다는 이야기가 있는데, 이건 만고의 진리야. 성의 있게 상대를 대하고 성의 있게 일을 대하고 성의 있게 공부를 하면, 내가 원하는 것을 좀 더 수월하게 얻을 수 있어. 하지만 얻고자하는 것에 성의를 보이지 않으면서 얻으려고만 한다면 뿌리지도 않고 거두려고 하는 것과 마찬가지야."

인간관계도 마찬가지다. 사람에게 성의 있게 대해야 한다. 성의 있는 삶이란 조금만 더 신경을 쓰고 관심을 가지면 엄청나게 쉬운 일이다. 내가 아는 중소기업 사장이 있다. 이 사람은 오더를 받기 위해 영업을 한 적이 한 번도 없다. 그럼에도 불구하고 해마다 기업이 엄청나게 성장했다. 그 이유가 궁금해서 나는 이 사람을 유심히 살펴보았다.

이 사람은 매사에 성의가 넘친다. 예를 들어 단체에서 캠핑을 가기로 하면 필요한 것이 무엇인지 미리미리 적는다. 준비물을 적을 때에도 즉흥적으로 떠오르는 것을 적는 게 아니라 머릿속 시뮬레이션 통해 필요한 것들을 적은 후 실제로 그 물건들을 준비해 현장에 온다. 무턱대고 그냥 온 사람들이 요리를 하다가 '후추가 있었으면 좋겠다'고 말하면 후추가 이 사람에게 있고, '어떡하지? 숯을 안 가져왔네' 하고 당황하면 이 사람에게 숯이 있다. 매번 이러니 함께하는 사람들은 그 사람에게 어떤 일을 맡겨도 잘할 거라는 신뢰를 가질 수

밖에 없다.

또 승용차 한 대에 네 명이 타고 가기로 하면, 그 사람은 출발 전에 네 명을 집집마다 태우러 간다. 차에 탑승해보면 시원한 음료수가 준비되어 있다. 함께하는 사람에게는 그야말로 감동이다. 그래서 이 사람은 영업을 하지 않아도 그를 아는 사람들이 자동적으로 일을 맡긴다. 하나를 보면 열을 알고, 될성부른 나무는 떡잎부터 안다고, 이렇게 매사에 철저하고 꼼꼼한 사람에게 일을 맡기면 얼마나 일을 잘 처리할까 싶어서 사람들이 일을 자꾸 주는 것이다.

이 사람의 사업 분야는 유통업인데, 어떤 업무를 맡기더라도 정말 잘 해낸다. 한 가지 일을 맡겨서 잘하니까 두 가지 일을 맡기고, 업무 결과가 만족스러우니까 세 가지 일을 의뢰하다 보니 사업이 번창해서 부자가 된 것이다.

그런데 우리는 한 가지 일을 줘도 못하면서, 두세 가지 일을 욕심내며 마음을 졸인다. 살아가는 데 성의가 있는 사람과 성의가 없는 사람은 엄청난 차이가 있다. 부자와 부자가 아닌 사람의 차이는 성의가 있느냐 없느냐의 차이와도 같다.

이성을 만나러 갈 때 자신에게 잘 어울리는 옷을 입고 몇 가지 유머를 준비하는 것은 상대에게 잘 보이고자 하는 성의를 보이는 것이다. 있는 그대로 나가면 소탈해서 좋다고 할 수도 있지만, 대부분의 사람들은 성의 있게 꾸미고 나온 상대방에게 더 호감을 보인다.

우리는 살아가면서 이런 말을 많이 한다.

"쟤는 주는 거 없이 미워."

주는 것 없이 미운 그 사람은 나에게 성의를 보이지 않았기 때문이다. 성의 있는 삶이라는 것은 스스로가 자신에게 혹은 상대방에게 했던 약속들을 지키려고 최선을 다하는 것이다. 이가 아파도 사람을 만나면 웃어주는 것, 시간이 없어도 상대방의 이야기를 차분하게 들어주는 것, 귀찮지만 전화해서 안부를 전하는 것, 상대방이 말하기 전에 필요한 게 없냐고 먼저 물어보는 것, 상대방이 도와달라고 하기 전에 혹시 내가 도움이 될 것은 없는지 물어보는 것, 이런 것들이 우리가 상대방에게 보여줄 수 있는 성의다.

소통은 성의를 다하는 태도에서 출발한다. '성의 있다'는 것은 내 영혼이 만족할 만큼 최선을 다하는 것을 뜻한다. 『대학(大學)』에서는 '성의'를 세 단계로 구분한다. 첫째는 무자기(毋自欺)로 나를 속이지 않는 것이고, 둘째는 자겸(自謙)으로 엄청난 행복감과 만족감을 느끼며 살 수 있고, 셋째는 신독(愼獨)으로 나 홀로 있을 때도 언제든지 스스로 만족감과 기쁨을 안고 살 수 있다는 것이다.

상대에게 성의를 다하는 것만큼 소통에서 중요한 것은 없다. 성의 있는 식사 대접, 성의 있는 일처리, 성의 있는 상담, 성의를 다하는 경청. 성의는 꼭 상대가 있어야 하는 것이 아니다. 성의는 내 자신에게도 꼭 필요하다. 성의를 다하면 길이 보인다.

꾸준함이
열정을 이긴다

·

"꾸준함이 열정을 이긴다." 어느 성공한 기업가의 말이다.

마부작침(磨斧作針)이라는 말이 있다. 도끼를 갈아 바늘을 만든다는 뜻으로, 아무리 어려운 일이라도 참고 계속하면 언젠가는 성공한다는 말이다. 우직한 사람이 산을 옮긴다는 우공이산(愚公移山)도 비슷한 의미를 내포하고 있다.

도끼를 갈아 바늘을 만드는 것은 열정보다는 꾸준함이다. 산을 옮기는 것도 열정보다는 꾸준함이다. 굳이 마부작침이나 우공이산이라는 말까지 들먹이지 않아도, 꾸준함이라는 단어의 힘을 우리는 잘 알고 있다. 젊은 친구들과 이야기하다 보면, 어떤 일을 하는 데 가장 중요한 것은 열정이라고 생각하는 사람들이 많다. 물론 열정 없이 되는 것은 없겠지만, 적어도 내가 경험한 바로는 열정보다 더 강한 것이 꾸준함이다.

열정보다 꾸준함이 더 빛을 발하는 것은 사랑에서도 마찬가지다. 물론 남자와 여자가 처음 만나 연인이 되기까지는 열정이 반드시 필요하다. 서로에게 열정을 느껴야 남들과 다른 사이가 되고, 보고 싶고 함께 있고 싶고 머릿속에 끊임없이 떠오르기 때문이다. 열정이 있어야 사랑에 빠진다. 하지만 일단 사랑이 시작되고 나면 이야기가 달라진다. 두 연인이 금방 헤어지는지, 사랑이 오래 지속되어 결혼에 골인하는지는 꾸준함에 달려 있다. 다들 인정하다시피 뜨거운 사랑의 유통기한은 그다지 길지 않기 때문이다.

그래서 나는 뜨거운 사랑을 하는 사람들이 부럽기도 하지만, 그보다 더 부러운 것은 꾸준히 오래가는 연인들이다. 사랑의 크기보다는 이해의 크기가 큰 사람들이 꾸준함이 있다. 열정의 크기보다는 끈기의 크기가 크다.

잘나가는 회사의 대표가 말하기를, 직원을 뽑을 때 실력과 능력이 얼마나 있는지를 보지 않고 얼마나 꾸준함이 있는지를 본다고 한다. 이력서에서 얼마나 많은 일을 했는지보다는 어떤 일을 오래했는지를 본다는 것이다.

"사귀는 사람 있어요?"

"네, 있습니다."

"그래요? 그 사람하고 사귄 지 얼마나 됐어요?"

면접을 보러 가서 이런 질문을 들었다면 '왜 이런 질문을 하지? 업무 능력보다 연애사를 묻는 거 보니 떨어뜨리려고 하는 거 아니야?'

혹은 '업무 능력이나 스펙과 상관없는 이런 질문을 하다니! 성희롱 아니야?' 하는 생각이 들지도 모르겠다. 하지만 이 질문은 명백한 의도를 가지고 한 것이다. 꾸준히 사람을 이해하는 능력이 있는지를 보기 위한 질문인 것이다. 꾸준함이 있는 사람이 어떤 스펙이나 열정, 탁월함이나 비범함을 가지고 있는 사람보다 훨씬 좋은 인재라고 한다.

나도 그 말에 동의한다. 나처럼 아주 작은 소기업을 운영하다 보면 좋은 직원을 구한다는 것은 하늘의 별따기보다 어렵다. 어쩌면 복권 1등 당첨보다 어려운 일이다. 그나마 괜찮아 보이는 직원을 뽑아 당장 필요한 일을 가르쳐서 이제 일할 만하다 싶으면 홀연히 회사를 나간다. 그래서 어떤 일을 가르쳐서 뭔가 새로운 일을 펼쳐보고 싶을 때가 되면 직원을 다시 뽑아야 한다. 계속 악순환인 것이다.

나도 사업을 하면서 포기하고 싶을 때가 한두 번이 아니었다. 작은 회사를 운영하다 보니 직원이 잘 따라오지 않는다고 그 직원을 두고 새로운 직원을 뽑을 수도 없다. 매출을 올리려고 신경 쓰는 사람이 나 하나뿐인 것 같은 생각이 들면 외롭기까지 하다. 회사의 방향이나 문제를 놓고 상의할 사람이 없으면 외로움이 밀려온다. 그 외로움으로 죽을 만큼 힘들어 포기하고 싶을 때가 많다.

그런데 포기하고 싶다고 해서 포기되지 않는다는 것이 문제다. 성공한 사람들은 이와 같은 애환의 스토리를 천 개씩 갖고 있는 사람들일 텐데, 어려운 난관이 있다고 포기한다면 성공할 수 있는 사람은 아무도 없는 것이다.

어려움을 많이 겪어본 사람일수록 힘든 일을 해내고 큰 성공을 이룰 가능성이 높다. 하기 쉬운 일만 하던 사람은 자신이 해보지 않은 일에 부딪혔을 때 포기하는 경우가 많다. 습관이 되지 않아서다. 그런데 자신이 잘 모르는 일을 만났을 때 그것을 어떻게든 해결해보는 사람들은 그다음 일도 해결된다. 그러면서 꾸준함이 생긴다.

열정으로 한두 가지 일을 짧은 기간에 해낼 수는 있다. 그런데 성공하려면 짧은 기간에 열정을 가지고 하는 한두 가지 일을 꾸준히 해야 한다. 자신이 좋아하는 일, 하고 싶은 일이니까 꾸준히 할 수 있다고 말할 수도 있겠지만, 성공한 사람들은 자신이 하기 싫은 일도 꾸준히 해왔다. 하기 싫은 일도 꾸준히 해내는 끈기와 근성, 우직함이 바로 성공의 비결이다.

도스토옙스키(Fyodor Dostoevsky)는 처음부터 대단한 문장가는 아니었다. 20년 넘게 글을 쓰면서도 러시아 평론가들에게 '글이 너저분하고 잡동사니 같다'라는 혹평을 듣기 일쑤였다. 1849년 봄에는 러시아의 황제 니콜라이 1세(Nikolai I)로부터 사형선고까지 받았다. 러시아의 잘못된 정치를 비판하던 사람들에게 내려진 사형선고였고, 28살의 문학청년 도스토옙스키도 그 명단에 있었다. 사형 집행 직전에 사형수에게 마지막 5분의 시간이 주어졌다. 그때 그는 5분이라는 시간이 얼마나 소중한지를 절실하게 깨닫게 되었고, 시간의 소중함을 알지 못했던 지난날을 뼈저리게 후회했다. 다행히도 사형당하기 직전에 황제의 명령으로 목숨을 건지게 된 도스토옙스키는 유배지에서도 죽음 직전의 5분을 잊지 않고 시간을 황금처럼 아끼며 집필을 했다. 사형선고 이후에 나온 글이 바로 『죄와 벌』, 『카라마조프의 형제들』 같은 세계적인 작품들이다.

이랜드 창업자 박성수 회장은 근무력증으로 5년 넘게 누워 지내다 2평짜리 옷가게에서 시작해서 지금의 이랜드 그룹을 만들었다. 장애물을 만날 때마다 그것을 뛰어넘는 것을 기회라고 생각했다고 한다. 그것이 꾸준함이다. 농구 천재 마이클 조던은 경기 중에 9,000번이 넘는 슛을 실패했고 3,000번 넘게 게임에서 졌다. 그런데도 불구하고 꾸준한 연습으로 세계 최고의 농수선수가 된 것이다.

이렇게 이름만 대면 다 아는 유명한 사람이 아니라도 우리 주변에는 정말 훌륭한 사람이 많다. 내가 만든 최고위 과정 6기 원우 중 숙박업 플랫폼 '야놀자'의 이수진 대표가 있다. 지금은 성공한 면을 높게 평가받는데 사업 초기에는 정말 포기하고 싶었던 순간이 많았다고 한다. '윗물이 놀아야 아랫물이 논다'는 신조를 가지고 있는 그는 2001년 그의 나이 24살 때 숙박업소에서 청소 등 허드렛일부터 시작했다. 그는 오전 10시부터 새벽 1시까지 객실을 청소하며 일을 배웠고 이후 주차 및 프런트 관리 등으로 업무 영역을 넓혀가다가 2005년 3월 야놀자 법인을 설립했다. 야놀자는 현재 '야놀자숙박', '야놀자당일예약' 등 숙박서비스와 '야놀자데이트', '야놀자여행' 등 놀이문화 콘텐츠 서비스를 하고 있을 뿐만 아니라, '에이치에비뉴', '호텔야자', '호텔앤', '모텔얌' 등 숙박 프랜차이즈까지 운영하고 있다.

그는 가난에서 벗어나기 위해 사업을 시작했다. 가난한 집에서 태어난 그는 고등학고 때 친구 집에 놀러갔다가 햄이 들어 있는 김치찌개를 처음 먹어봤다. 자기 집에서는 김치만 들어 있는 김치찌개를 끓여 먹었던 것이다. 김치찌개에 들어간 햄이 얼마나 맛있던지, 너무 부러운 나머지 친구에게 물었다.

"너희 집은 김치찌개에 햄을 매번 넣어서 먹니?"

"아니, 햄을 넣을 때도 있고 고기를 넣어서 먹을 때도 있는데?"

그래서 이수진은 '나도 꼭 성공해서 김치찌개에 햄 넣어 먹는 사람이 돼야지'라고 생각했다고 한다. 포기하고 싶을 때마다 그 장면을 생각했더니 포기가 안 되더란다. 그래서 10년 넘게 그런 작업을 해온 것이다.

세상에서 가장 어려운 일이 꾸준함을 갖는 일인 것 같다. 사랑하는 사람들이 결별하는 이유도 처음에 만났던 사랑의 느낌을 꾸준히 갖지 않기 때문이다. 어느 방면이든 성공한 사람은 꾸준하지 않은 사람이 한 명도 없다.

1993년부터 1997년까지 주한 미국대사로 근무한 제임스 레이니 (James Laney) 교수는 귀국해서 미국 남부 에모리 대학교의 교수가 되었다. 그는 건강을 위해 매일 걸어서 출퇴근을 했는데, 어느 날 벤치에 쓸쓸하게 혼자 앉아 있는 노인을 만나서 말벗이 되어주었다. 그 후 2년 동안 레이니 교수는 시간이 날 때마다 노인을 찾아가 잔디를 깎아주거나 커피를 함께 마시며 교제를 나누었다. 그런데 어느 날 출근길에 노인이 보이지 않자 노인의 집을 방문했고, 노인이 전날 돌아가셨다는 것을 알게 되었다. 곧바로 장례식장을 찾아 조문하면서 자신이 만났던 그 노인이 바로 코카콜라 회장이었다는 것을 알고 깜짝 놀랐다. 더욱 놀란 것은 노인의 유서였다.

"2년 동안 우리 집 마당의 잔디도 깎아주고 커피도 나누어 마셨던 고마운 나의 친구 레이니에게 25억 달러와 코카콜라 주식 5%를 유산으로 남긴다."

세계적인 부자가 그렇게 검소하게 살았다는 것과 자신이 코카콜라 회장이었음에도 신분을 밝히지 않았다는 것, 아무런 연고도 없는 사람에게 그렇게 큰돈을 주었다는 사실에 큰 감동을 받은 레이니 교수는 노인에게서 받은 유산을 에모리 대학교 발전기금으로 내놓았다. 굴러들어온 부에 정신을 잃는 것이 아니라 학생과 학교를 위한 발전 기금으로 쾌척했기에, 그에게는 에모리 대학교의 총장이라는 최고의 명예가 주어졌다.

이 일화를 읽고 '내 주변에는 그런 노인이 없나?'라는 생각이 먼저 들 수도 있지만, 그가 노인에게서 유산을 받을 수 있었던 것은 행운이 아니라 그의 꾸준함 덕분이었다. 노인과 대화하면서 돌보기를 어쩌다 한 번씩 한 것이 아니라 매일매일 했기에 코카콜라 회장이 감동한 것이다.

토끼와 거북이 경주에서 토끼는 거북이 정도는 이긴다고 생각하고 잠이 들었다가 진다. 만약에 거북이가 느린 거북이가 아니라 토끼만큼 빠른 거북이였으면 토끼가 그렇게 쉬어갈 수 있었을까? 이 이야기가 던지는 것은 꾸준함이다. 파워 블로거들의 성공 비결 또한 꾸준함일 것이다. 매일 블로그를 관리하는 건 쉬운 일이 아니다.

어릴 때 방학숙제 중에 일기 쓰기가 있었다. 나는 왜 일기 쓰기를 방학숙제로 내고 검사하는지, 도대체 선생님은 왜 내 일거수일투족이 궁금한 건지 의문이 들었다. 그래서 개학 직전 벼락치기로 써서 제출했다. 지금 생각해보니 일기 쓰기는 꾸준함을 가르치는 것이었다. 꾸준함이라는 것을 습관화시켜 주려는 의도가 다분한 숙제였던 것이다. 진짜로 매일 일기를 쓰는 아이 중에는 공부 못하는 아이가 거의 없다. 또한 내일 할 것을 미리미리 잘 준비한다. 초등학교 때 습관이 중고등학교로 이어지고, 문학소녀도 그렇게 만들어지는 것 아닐까?

우리 회사를 거쳐 갔던 직원들을 보면, 열정 있는 친구들은 보통 3개월을 못 넘기고 그만둔다. 조금 복잡한 일을 시키면 그 일이 끝난 후에 그만둔다. 그런데 처음부터 열정을 보이진 않았던, 조용히 꾸준한 친구들은 시간이 지나고 보면 업무 성과도 좋고 스스로 성장도 빠르다.

꾸준함을 유지하려면 무엇이 있어야 할까? 목표가 분명해야 한다. 대입 수능 수험생이 열심히 공부할 수 있는 이유는 수능시험 날이라는 디데이 목표가 있기 때문일 것이다. 그냥 수양하듯 도를 닦듯 공부하라면 아마 고3 수험생처럼 처절하게 하지는 못할 것이다. 목표가 있으면 그다음에는 계획을 세워야 한다. 계획이 없는 목표는 그냥 희망사항이거나 꿈일 뿐이다.

'나는 부자가 될 거야', '나는 꼭 성공할 거야'라는 생각은 목표가 될 수는 있지만, 그렇게 되기 위한 계획이 없다면 그것은 그냥 바람일 뿐이다. 무엇을 하나하나 준비해야 하는지를 검토하는 것이 계획이다. 그다음에 필요한 것은 실행에 옮기는 것이다. 목표든 계획이든 실행에 옮기지 않으면 그것은 그냥 헛된 희망일 뿐이다. 그래서 꾸준함이 열정을 이기는 것이다.

한번 계산해보자. 어떤 사람이 10대부터 40대까지 24년 동안 매일 2시간씩 무언가를 공부했다 치자. 그는 2년을 꼬박 그 공부를 한 셈이다. 잠도 안 자고 밥도 안 먹고 순수하게 공부한 시간만 2년이다. 그러면 공부한 것이 무엇이든지 그는 그 분야의 전문가 수준이 될 것이다. 기타를 배웠든, 영어회화를 공부했든, 한자공부를 했든, 법학공부를 했든 말이다. 72년 동안 하루에 1시간씩 무언가를 공부하면 3년이 된다. 얼렁뚱땅 낭비하기 쉬운 하루 한 시간 동안 꾸준히 무언가를 한다면, 꾸준함은 우리를 그 분야의 전문가로 만들어준다.

잠시 잠깐 꾸준함을 이기는 것을 보았다. 열정이라든지 천재성이라든지 하는 것들 말이다. 그러나 그것은 일시적인 것이었다. 세상에서 가장 강한 힘은 꾸준함이다.

작은 것부터
바꿔나가라

·

나는 1993년부터 지금까지 방송을 하고 있으니까 하나의 직업으로 잘하거나 못하거나, 잘나가거나 못 나가거나 23년을 버텨온 셈이다. 눈에 잘 띄지 않는 사각지대의 활동이긴 하나 라디오 프로그램과 케이블 채널 프로그램을 지금도 진행하고 있다. 그런데 열심히 앞만 보고 달려가던 나의 방송 일이 데뷔 후 18년 정도가 지난 후 휴지기에 접어들었다. 힘에 부쳐서 더 이상 한 발도 나아갈 수 없을 때, 더 심하게 말하면 내 재능에 한계를 느꼈을 때, 이런 식의 지지부진한 방송 활동 말고 다른 일도 해봐야겠다고 생각했다.

그래서 홍대 앞에 북카페도 차려보고, 강남에서 고깃집도 해보고, 마포에서 주점도 운영해봤다. 주식투자로 성공과 실패를 맛보기도 했다. 이것저것 전전하는 사이 롤러코스터 같은 기간을 거쳐 나는 빈

털터리가 됐다. 여기저기 방황도 하면서 술도 엄청 많이 마셨다. 나를 버릴 대로 버렸다. 바닥을 치면 더 이상 바닥이 없으니까 인생도 반등의 시기가 올 거라는 어림없는 말을 믿으며….

그런데 그렇게 바닥을 칠 때, 정말 아픈 것은 기댈 데가 없다는 것이다. 한창 방송을 같이하던 동료들도 방송하지 않게 되면 만날 일이 거의 없어져서 관계가 소원해진다. 같은 일을 20년 이상 함께하면서 공감대가 형성되었던 사람들과의 교류도 끊긴다. 그래서 힘들 때에도 함께 이야기할 사람이 없어진다. 마찬가지로 일반 직장을 다니던 사람들도 직장을 그만두면 자신의 이야기를 들어주고 같이 고민해주고 걱정해줄 동료가 없어지게 된다. 직장을 잃는다는 것은 또는 직장을 떠난다는 것은 경제적인 문제와 함께 동료들과의 관계도 잃게 되는 것이다. 공감대에서 멀어지면 그렇게 된다.

나는 예나 지금이나 사람들과 이야기하는 것을 참 좋아한다. 밤을 새워가며 이야기하는 걸 좋아한 것은 친구들을 좋아할 나이인 중학교 때부터로 기억한다. 강원도 시골의 칠흑 같은 밤에 이곳저곳 친구 집으로 몰려다니며 친구들과 밤새워 이야기하던 기억이 많다. 방송을 한창 열심히 할 때는 방송인 유재석이 우리 아파트 앞에 찾아와서 정자에 앉아 이야기하고 갈 때가 많았다. 한적한 곳에 차를 세워두고 재석이, 용만이, 석진이, 그리고 김수용과 초저녁에 만나 새벽에 헤어질 정도로 수다를 떨었다. 개그맨 김국진과는 이야기를 나누며 밤을 새우기도 했다.

이런 내가 실패만 거듭하던 위험한 시기에 내 힘으로 할 수 있는 다른 무엇인가 있을까 생각해봤을 때, 가장 먼저 떠오른 것이 강연이었다. 지식 과잉 체득의 시기에 지식보다 더 흥미로운 이야기를 통하여 변화가 이루어진다면, 그것이 강연이라는 형태라고 생각했다. 그래서 강연 사업을 시작하게 되었다.

내 강연의 주된 내용은, 다른 사람들은 나처럼 살지 말아야 한다는 것이다. 여기서 '나처럼'이란 나의 능력을 스스로 과신했다는 것이다. 나는 내가 무엇이든 잘할 수 있을 것이라고 여긴 적이 있었다. 그때 나는 남의 충고를 잘 듣지 않았다. 들을 필요가 없다고 생각할 만큼 자신만만했기 때문이다. 설사 남에게 좋은 충고를 들어도, 내 식으로 쉽게 해석하고 잘 받아들일 줄 몰랐다.

그리고 나쁜 습관을 가지고 있음에도 고치려 하지 않았다. 나의 나쁜 습관은 게으르다는 것이었다. 늦게 자고 늦게 일어나는 것은 기본이요, 오늘 해야 할 일을 다음으로 미룬다든지 하는 게으름이 일상이었다. 게으르다 보니 조금만 바빠도 피곤했고, 바쁜 게 습관이 안 되다 보니 조금만 바빠도 건강상의 문제가 없었음에도 불구하고 쉽게 지쳤다. 그것은 게으른 습관이 배어 있어서다.

또 시간이 있을 때 대부분을 빈둥거리면서 보내는 나쁜 습관도 있었다. 특별히 하는 일 없이 왔다 갔다 했다. 이런 나쁜 습관들 때문에 남들과 소통하지 못하고 실패했다. 이런 것들이 '나처럼'이라는 범주에 들어간다. 사람들이 나처럼 살지 않았으면 해서 강연을 시작했다고 해도 과언이 아니다.

2011년 강연 사업을 시작하면서 나 스스로가 정말 많이 변했다. 힘들어도 좋은 습관을 길러야 한다는 생각에 초창기 1년 정도를 하루 3시간 이상 자지 않았다. 1년 동안 하루 3시간을 자니까 피곤하고 공황 상태인 경우가 많았다. 1년이 지난 후에도 나는 하루 5시간 이상을 자지 않았다.

　그렇게 4년을 산 지금 드디어 습관이 바뀌었다. 안 좋은 습관을 버리고 얻은 것은 정말 다양하고 많은 사람들과 이야기를 나눌 수 있었다는 것이다. 그렇게 이야기를 나눔으로써 내가 알지 못했던 새로운 정보를 얻게 되었고, 인터넷에서는 가르쳐주지 않는 살아 있는 생생한 이야기들을 직접 들어 알게 되었다.

　내가 가장 좋아하는 취미인 다른 사람과 이야기 나누기를, 나의 안 좋았던 여러 가지 습관을 고침으로써 더 즐길 수 있게 된 것이다. 책에서는 볼 수 없었던 사람들의 성공담과 실패담, 거대한 부자는 아니지만 열심히 살아오면서 얻어낸, 흔히 알고 있는 무(無)에서 유(有)를 일궈낸 부자들의 이야기와 가난을 벗어난 이야기, 하기 힘든 일을 성취한 이야기들이 수시로 내게 큰 감동을 주었다.

　지금까지와는 다른 방법으로 살아보라고 하면 변화를 두려워하는 사람들이 있다. 새로운 것에 대한 왠지 모를 낯섦이 두려운 것이다. 변화란 것 자체가 오래되어 케케묵은 익숙함에서 벗어나 낯섦에 적응하는 것이다. 변화된 삶이란 거창하게 큰 것이 아니라 아주 작은 것부터 바꾸면 된다. '10분만 더 잘게'가 아니라 '10분만 더 일찍 일

어날게'로, '늦어서 미안해'가 아니라 '기다리고 있으니까 천천히 와'
로, '하기 편한 일 먼저 하기'에서 '하기 싫은 일 먼저 해서 수월하게'
로, 배움을 등한시했던 것에서 배움에 호기심을 갖는 것으로, 귀찮아
미루던 일을 지금 당장 하는 걸로 바꾸면 우리는 큰 변화를 가져올
수 있다.

지금까지 잘 살아온 사람이더라도 그 자리에서 또 한 번 변화해야
하며, 자기 삶에 불만이 많은 사람이라면 반드시 변화를 모색해야
한다. 나는 그런 변화된 삶을 살고 싶다.

정말 바쁜 사람들은 시간이 없다고 하지 않는다. 부석종합건설의
최재순 대표가 성공한 요인을 분석해보았다. 이 분은 하루 24시간을
시간 단위로 쪼개 쓰면서 바쁜 티를 전혀 내지 않는다. 점심을 하루
2번 먹고, 저녁을 하루 3번 먹는다. 물론 매일 그러는 것은 아니지만
조금씩 먹으면서 30분 단위로 사람을 만나는데, 아주 기막히게 시간
을 맞춘다. 각종 모임에도 바쁘다는 핑계로 빠지는 일이 없이 다 참
석한다. 아이러니하게도 그런 사람이 가정에 더 충실하다. 주말에 가
족들과 캠핑을 가고, 등산도 가고, 정말로 부지런하기 그지없어서
'아, 이 사람은 성공할 수밖에 없는 구조를 가지고 있구나' 하는 생
각이 든다.

이 세상에서 변하지 않는 것은 아무것도 없다. 주변은 끊임없이 변
하고 있는데 나만 변화하지 않을 수 없다. 세상이 나를 변화시키기
전에 내가 먼저 변화해야 한다. 나는 매일매일 나를 고치고 싶다. 잘
못된 습관에서, 잘못된 생각에서, 잘못된 행동에서 나를 고치고 싶다.

어떻게 하면 될까? 나를 변화시키는 방법 세 가지를 권한다. 첫째는 나의 안 좋은 습관을 생각한다. 둘째는 고치겠다고 마음을 먹는다. 셋째는 나중에 하겠다는 말은 하지 말라. 지금 당장 실천해야 한다. 단언컨대 '다음 달부터 다이어트 들어간다', '새해부터 금연할 거야'라고 말한 사람 중에서 성공한 사람을 본 적이 없다.

게으르고 안위를 추구하는 사람들은 스스로 위로하며 남의 일에 신경 쓰지 않고 경쟁하려 들지 않는다. 경쟁에서 이기기 위해서는 뼈를 깎는 노력을 해야 하기 때문이다. 반면에 성공하는 사람들은 일찍 일어나서 남보다 일찍 시작하고, 다른 사람에게는 관대하지만 자신에게는 엄격하다. 변화를 두려워하지 않으며 자신이 가진 것을 버리고 새로운 변화를 받아들이는 데 망설이지 않는다.

우리가 어떤 삶의 방식을 택해야 할지는 명확하다. 100세 시대인 만큼 우리 나이를 핑계 삼을 것도 없다. 지금 우리가 40세라면 앞으로 60년을 더 살아야 하고, 지금 50세라면 살아온 세월만큼 더 살아야 하며, 설령 당신 나이가 70이라 해도 앞으로 30년을 더 살아야 하기 때문이다.

2장

소통으로
성공을 리드하라

Bridging Hearts
and Minds

변화에
망설이지 말라

.

기회를 기다려서는 안 된다. 기회를 찾아나서야 한다. 기회를 기다
리는 사람은 기회를 찾아 나서는 사람의 뒤에 서게 된다.

마이크로소프트의 빌 게이츠(Bill Gates)에게는 절친한 친구 콜레트
가 있었다. 하버드 대학교에 입학해 서로 알게 된 빌 게이츠와 콜레
트는 소프트웨어를 개발하고 싶은 꿈이 있었다. 빌 게이츠가 제안을
했다.

"우리 자퇴해서 사업하자. 요즘 재무회계 프로그램이 뜨니까 같이
프로그램을 개발해보자, 친구야. 우리 실력이면 충분하지 않겠어?"

콜레트는 거절했다.

"나는 학업을 더 해야 해. 박사학위를 받을 거야."

콜레트는 소프트웨어를 개발하려면 먼저 모든 수업과정을 배워야 한다고 믿었기에, 대학을 중퇴하고 사업으로 바로 뛰어들 확신과 용기가 없었다. 그 후 10년이 지났을 때 콜레트는 하버드 대학교 박사 과정 중이었고, 빌 게이츠는 이미 억만장자 대열에 속해 있었다.

콜레트는 1995년 박사학위를 따고 그때서야 32비트 재무회계 프로그램 사업에 뛰어들었지만 성공할 수 없었다. 빌 게이츠는 그때 32비트보다 1,500배나 빠른 회계 시스템을 개발하여 상용화하고 있었기 때문이다.

빌 게이츠의 절친한 친구 콜레트는 지금 무슨 생각을 할까? 물론 학업을 포기하고 빌 게이츠와 함께한다는 것은 상당히 어려운 결정이었을 것이다. 하지만 통계를 보면 상당히 재미있다. 미국의 자수성가형 부자 Top 100명 중 4분의 1이 자퇴생이라고 한다. 빌 게이츠를 비롯해 애플의 스티브 잡스(Steve Jobs), 페이스북의 마크 저커버그(Mark Zuckerberg), 오라클의 래리 앨리슨(Larry Ellison), 델 컴퓨터의 마이클 델(Michael Dell), 버진 그룹의 리처드 브랜슨(Richard Branson), 텀블러의 데이비드 카프(David Karp), 트위터의 에반 윌리엄스(Evan Williams), 마이크로소프트의 공동 창업자 폴 앨런(Paul Allen) 등 글로벌 기업을 운영한 숱한 사람들이 바로 자퇴생이다. 그렇다고 이 책을 덮고 자퇴할 필요는 없다.

변화를 앞서 예측하고 과감하게 가진 것을 모두 버리고 변화에 올인한 사람으로는 SM엔터테인먼트 회장이자 최대 주주인 이수만을 빼놓을 수 없다. 서울대학교 농과대학을 졸업하고 미국 캘리포니

아 주립대학교에서 컴퓨터공학 석사학위를 받은 이수만은 H.O.T가 스타로 뜨기 전에 자신이 가진 모든 것을 내려놓고 달려들었다. 당시 〈젊음의 음악캠프〉를 포함해 3개의 프로그램을 진행하고 있었고, 1977년 제1회 대학가요제 MC를 맡은 이래 1998년까지 무려 8회나 MC로 활약했을 정도로 MC 제의가 끊이지 않았으며, 한 달 출연료만 해도 내 짐작으로 4,000만 원이 넘을 때였다. 그 정도 수입이면 모든 것을 버리지 말고 MC 활동을 병행하면서 가수를 발굴해도 될 텐데, 왜 될지 안 될지 모르는 매니지먼트 사업에 올인하는지 당시 신인이었던 나는 도무지 이해되지 않았다.

그러나 당시 이수만의 행동에는 망설임이 없었다. 아이돌이라는 말조차 생소하던 시절부터 H.O.T, S.E.S, 보아, 동방신기, 소녀시대, 샤이니 등 아이돌 가수를 기획했고, H.O.T가 중국과 일본, 동남아 등에서도 인기를 얻자 이후에는 철저히 해외 진출을 염두에 둔 아이돌을 육성하기 시작했다. 일본 진출이 목표였던 보아나 중국 진출이 목표였던 슈퍼주니어 등은 이수만이 기획하기 전에는 한국에 없었던 스타일의 가수들이었다.

이수만은 변화가 필요할 때 과감한 결단으로 스스로를 옭아매는 배수진 작전을 쓰며 올인함으로써 한류 음악문화를 만드는 데 성공했다. 망설임 없이 모든 프로그램을 그만두고 신인 발굴에만 열중했기 때문에, 이듬해에 H.O.T가 성공했고 S.E.S, 신화, 플라이 투 더 스카이, 보아, 동방신기, 천상지희, 슈퍼주니어, 소녀시대, 샤이니, f(x), EXO, 레드벨벳 등의 수많은 아이돌 그룹이 전 세계로 뻗어나가

K-POP을 알릴 수 있었다. 국내 차트 순위에 연연하는 대신 유튜브를 통해 해외 시장을 일찍부터 공략한 것도 이수만과 SM이었다. 만일 이수만이 당시 적지 않았던 출연료에 연연했다면, 한류 문화는 지금처럼 빨리 광범위하게 발전할 수 있었을까? 이렇게 빨리 전 세계가 K-POP을 주목했을까?

"우물쭈물하다가 내 이렇게 끝날 줄 알았지."

아일랜드의 유명한 극작가이자 1925년 노벨문학상을 받은 조지 버나드 쇼(George Bernard Shaw)가 95세의 나이로 사망하면서 유언으로 자신의 묘비에 새기게 한 글귀다. 죽음을 앞두고 본인이 직접 새기게 했으니, 분명 그의 95년 인생에서 얻은 것을 이 한 줄에 집약시켰을 것이다. 그는 분명 우물쭈물 망설이지 말고 무엇이든지 당장 실천하라고, 망설이거나 머뭇거리는 데 시간을 낭비하지 말라고 말하고 싶었을 것이다. 아무리 좋은 기회가 오고, 아무리 급박한 상황이 닥치고, 아무리 위기의 순간이 닥쳐도 행동하지 않는다면 그 무엇도 해결할 수 없다. 기회가 오면 움직여서 잡고, 급박한 상황이나 위기가 닥치면 창조적인 변화를 통해 위기를 기회로 바꾸어야 한다.

변화해야 할 시기에 기존의 것을 움켜쥐고 있다가 망한 많은 기업 중 대표적인 것은 아마 코닥일 것이다. 코닥은 1975년에 디지털 카메라를 세계 최초로 개발했고, 그것으로 망했다. 우리가 쓰는 휴대폰에도 장착되어 있는 디지털 카메라의 효시는 코닥이 만들었고, 한때 전 세계 필름 시장의 90%를 장악했던 그룹임에도 불구하고, 변화에 대처하지 못하자 망하고 만 것이다. 코닥은 자신의 주력 산업인 필름 카메라와 필름을 파는 데 급급해서 시장을 제대로 읽지 못했다. 필름을 팔 수 없는 디지털 카메라는 마음에 들지 않았기 때문일까? 오프라인의 왕자였던 코닥은 온라인 시대를 읽지 못했고, 고화질의 종이 사진의 가치는 변하지 않는다고 믿었다. 디지털로의 변화를 망설이다 제때 대응하지 못한 것이다.

내가 협업을 했던 사람 중에는 쓸데없이 생각이 많은 사람이 있었다. 계획을 공유하고 계획대로 한두 달 안에 준비해서 바로 일을 시작해야 하는 프로젝트인데도 불구하고, 일주일 후 어디까지 진행되었는지를 물었을 때 그는 아직 생각 중이라고 답했다. 다시 일주일이 지났을 때 역시 생각 중이라고 했다.

1년이 지난 뒤 그 프로젝트를 남들도 다 하고 있고 이미 성공한 사례들이 나올 때까지 그는 그 일을 하지 않았다. 왜 하지 않았느냐고 물으면 생각을 먼저 하고 일해야 한다는 것이다. 예를 들어 가을 콘서트는 봄에 기획해서 가을이 오기 전에 준비하고 가을에 마쳐야 하는 일인데, 가을 콘서트를 1년 동안 생각만 하다 겨울을 맞이하게 된 것이다.

한참이 지난 후에 우리가 계획하던 일을 다른 회사에서 시도해 성공하면, 그때는 그 일이 그렇게 잘될 일인지 생각 못했다고 이야기한다. 모든 일을 이런 식으로 하는 사람이어서, 말이 협업이지 일을 맡겨 놓으면 무엇 하나 속 시원하게 해놓는 법이 없었다. 물론 당연한 일이지만 그와는 더 이상의 일을 공유하지 않는다.

비단 일뿐만이 아니다. 망설이다 보면 사랑하는 사람을 놓칠 수도 있고, 심지어는 생명이 위험해질 수도 있다. 우리는 변화에 망설일 시간이 없다. 러시아의 대문호 톨스토이(Leo Tolstoy)도 "누구나 세상을 바꾸고 싶어 하지만 정작 자기 자신을 바꾸려 하지 않는다"고 꼬집었다.

내가 아는 과일가게 김 씨 아저씨가 커다란 건물의 주인인, 조물주보다 한 수 위라는 건물주가 되었다. 불과 10년 전, 나는 그를 그냥 과일가게 아저씨라고 불렀다. 그런데 인터넷 바람이 불면서 누군가 그에게 과일장사를 인터넷으로 해보라고 권했다. 인터넷으로 과일을 팔면 보이지 않는 곳에서도 주문이 들어온다고 말해주더라는 것이다.

인터넷으로 과일장사를 하고 싶어진 아저씨는 단숨에 인터넷을 배우러 다녔다. 컴퓨터 모니터가 뭔지, 소프트웨어나 하드웨어가 뭔지도 몰랐고, 워드 프로그램으로 글을 쓸 줄도 몰랐다. 글과 사진, 가격 정도만 올리는 단순한 능력만 있으면 인터넷으로 과일을 팔 수 있지만 인터넷 활용법을 전혀 모르니 배우러 다닐 수밖에 없었다.

컴퓨터를 배운 지 3개월 만에 마침내 인터넷으로 과일을 팔기 시작했다. 결과는 놀라웠다. 산지에서 자신의 창고로 오기 전에 과일은 이미 판매되었으며, 길거리 가게에서 과일을 팔 때보다 매출이 엄청나게 증가했다. 요즘처럼 너나없이 인터넷에서 물건을 팔던 시절도 아니었기 때문에, 그는 인터넷 과일장사 몇 년 만에 커다란 건물을 살 수 있었다. 이제 사람들은 그를 김 씨 아저씨가 아니라 김 회장님이라고 부른다. 다른 과일가게를 하던 분들은 인터넷을 함께 배우자고 했을 때 알았다는 말만 할 뿐 배우려고 하지 않았다. 그분들은 지금도 여전히 길거리 과일가게를 운영하고 있다.

변화의 흐름을 타는 것은 보트를 타고 급류를 거슬러 올라가는 것과 같다. 남들이 변화하기 위해 악착같이 노를 저으며 상류로 힘들게 올라갈 때, 변화가 두려워 배 안에 엎드려 있다면 과연 현상유지가 될까? 결코 아니다. 남들은 열심히 노를 저어 상류에 가 있는 동안, 배는 흐르는 물살 때문에 제자리에 머물러 있지 않고 저 아래쪽으로 밀려 내려가기 때문이다. 뒤늦게 변화하려고 마음먹고 후발주자가 출발할 때는 선두에서 달려 나갔던 사람들과의 격차는 이미 따라잡을 수 없을 만큼 벌어져 있기 마련이다.

변화하는 데도 다 시기가 있다. 변화의 필요성을 느낀다면 망설이지 말고 당장 실천하라. 아주 작은 도전이 원하는 것을 이루게 해주기 때문이다. 토인비(A. J. Toynbee)는 『역사의 연구(A Study of History)』라는 책에서 "세계의 문명을 선도했던 제국들이 망한 이유는 자연의 재앙이나 외세의 침입이 아니라 변화를 거부하고 지나친 자기만족과 자기도취에 의한 내부 문제"라고 꼬집었다. 변화가 필요한데 변화하려는 시도를 하지 않고 망설인다면, 현상유지라도 하려고 가만히 그자리에 머무른다면, 잃을 것이 없는 것이 아니라 망하게 된다.

우리가 소통해야 하는
진짜 이유

·

우리가 소통해야 하는 진짜 이유는 내가 행복해지기 위해서다. 소통은 불편함을 없애고 관계의 방향을 넓혀주는 신이다. 하버드 대학교에서 75년 동안 행복에 관해 연구한 결과는 사람과의 관계가 좋으면 행복하다는 것이었다. 이는 굳이 하버드 대학교에서 연구하지 않아도 알 수 있는 것이다. 우리가 느끼는 불행은 사람과의 관계에서 나오기 때문에, 사람과의 관계가 좋으면 인간은 행복해진다.

요즘 컬래버레이션(collaboration)과 협업이라는 말이 마케팅뿐만 아니라 방송, 광고, 프로그램 등 다양한 현장에서 많이 등장한다. 컬래버레이션은 사전적 의미로는 협업이나 협력, 마케팅의 측면에서는 합작을 말한다. 서로 다른 두 개의 제품이 만나서 '1+1=2'가 아니라 '1+1=3'도 되고 '1+1=5'도 될 수 있도록 시너지를 내기 위한 융합전

략인 것이다.

컬래버레이션이라는 말은 그 자체로는 원래 마케팅 용어지만 근본적으로는 소통의 이야기다. 마케팅 전문가들에게 지금까지 역사상 최고의 컬래버레이션이 무엇이라고 생각하는지 물었더니 유비, 관우, 장비의 도원결의(桃園結義)라고 답했다고 한다.

도원결의는 뜻이 맞은 세 사람이 같은 목적을 이루기 위해 복숭아 밭에서 행동을 같이하기로 약속한 것이다. 도원결의로 시작되는 『삼국지(三國志)』는 수많은 책과 만화, 영화, 드라마 등 다양한 콘텐츠로 만들어지며 사랑받았다. 이렇게 오랜 기간 동안 폭넓은 사랑을 받은 이유는 유비와 관우, 장비가 각기 개성이 뚜렷하고 서로가 갖지 못한 장점을 갖고 있어서, 서로 소통함으로써 시너지를 극대화시켰다는 점이다.

다양한 제품끼리의 컬래버레이션도 이루어지고 있다. 예를 들어 의류 브랜드 행텐과 스타워즈가 손을 잡고 스타워즈 컬렉션을 출시했는데, 스타워즈 스웨트셔츠는 행텐의 모던한 감성과 스타워즈의 위트 있는 무드를 조화시켜 미니 사이즈의 프린팅으로 유니크하게 출시되었다. 여기에 목이나 팔, 허리 부분을 밴딩 처리하면서 스타워즈의 감각적인 레터링과 캐릭터를 포인트로 가미해, 젊은 층과 옛날을 그리워하는 키덜트 족에게서 폭넓은 반응을 이끌어냈다. 컬래버레이션을 통해 세대 간의 소통을 이끌어낸 결과다.

나이키와 애플 역시 뛰면서 즐기는 사람들을 겨냥한 컬래버레이션 제품을 선보였다. 나이키는 스포츠 제품만을 만드는 전통적인 제조업체인데, 애플과 손잡고 나이키 플러스와 퓨얼밴드 등을 출시했다. IT기업과 제조업체가 손을 잡고 자신의 업역을 넘어서 상대방의 업역을 활용해 시너지 효과를 노린 것이다. 나이키 광고를 보다 보면 애플이 보이고 애플 광고를 보다 보면 나이키가 나오는 것 자체가 소통이다.

예술계에서도 다양한 소통이 일어나고 있다. 우리나라를 대표하는 김덕수 사물놀이패는 다양한 컬래버레이션 공연을 시도하고 있다. 지난 2015년에는 경주엑스포 공원에서 루체필하모닉 오케스트라와 협연했다. 사물놀이와 오케스트라가 만나 동서양 음악의 환상적인 하모니가 펼쳐진 이 공연에는 2,500여 명의 관객들이 발 디딜 틈 없이 몰려들었다. 이 밖에도 김덕수 사물놀이패는 코리안팝 오케스트라와의 협연, 서울페스티벌 오케스트라와의 협연 등 다양한 국내에서의 협연은 물론, 세계 곳곳을 순회하며 각국의 오케스트라와 협연을 펼치고 있다. 서양과 동양의 음악과 춤이 어우러지고 소통하면서 일으키는 공감 효과는 대단해서, 김덕수 사물놀이패가 공연하는 곳마다 K-POP 못지않은 인기를 끌고 있다.

이러한 컬래버레이션은 서로 다른 것끼리의 소통인데, 이 모든 소통 행위의 기본은 내가 잘되고 내가 행복해지는 것이다. 소통하지 못하면 내가 불편해지고 어려워지고, 그러다 보면 마음의 평화를 놓치고 불행해진다. 내가 행복해지는 기본은 소통이다.

인간관계에서의 소통도 기업 간의 컬래버레이션처럼 필요에 의해서든 그렇지 않든 소극적인 소통보다는 적극적인 소통을 해야 하고, 더 나아가 적극적인 소통을 넘어서 창조적 소통의 패러다임으로 바뀌어야 한다. 창조는 새로운 것을 변화시키거나 없는 것을 만들어내는 것이다. 따라서 예전과는 완전히 변화된 모습으로 행동하고, 기득권처럼 가지고 있던 것들을 버리고 빈손으로 접근해야 창조적인 소통이 나온다.

권위를 버리고, 관습을 버리고, 습관을 버리고, 직급을 버리고, 입장까지 다 버리고 새로 만들어야 하는 것이 창조적 소통이다. 예컨대 상대에게 내 입장을 이야기하며 소통하려고 한다면, 그것은 적극적인 소통이지만 창조적인 소통은 아니다. 소위 꼰대 문화를 청산하고, '나 원래 그런 사람이야'를 청산하고, 가지고 있던 사고의 틀과 고정관념에서 깨어나야 한다. 그래야 창조적 소통이라는 패러다임을 만날 수 있다.

창조적 소통의 패러다임을 받아들이지 못하면 불통이 된다. 그리고 그 불통은 생각보다 큰 손실을 가져오고, 자칫 한 조직이나 기업을 도태시켜버리기도 한다. 도태되지는 않았지만 삼성전자가 꼰대 문화에서 벗어나지 못하고 있다가 큰 사업 기회를 놓친 일화가 있다. 안드로이드 OS 개발을 총괄하고 있는 구글의 앤디 루빈(Andy Rubin) 수석부사장은 2004년에 자비를 들여 삼성전자를 방문했다고 한다.

루빈 부사장은 PC와 똑같은 기능을 갖춘 휴대폰용 OS가 필요한 시대가 올 것으로 내다보고 2003년에 벤처기업 안드로이드사를 세웠다. 뚜렷한 수익원이 없었기 때문에 그는 투자자를 찾아 삼성전자까지 방문한 것이다. 공짜로 OS를 제공하겠다는데도 삼성전자에서는 수익성이 좋은 비즈니스 모델이 이미 있었기 때문에 혁신적인 새 모델 도입을 원치 않았다. 앤디 루빈이 청바지를 입고 당시 이기태 정보통신총괄 사장을 만나기 위해 회의실로 들어가자, 삼성전자는 작은 벤처기업 CEO에 지나지 않았던 앤디 루빈을 무시하는 발언을 했다.

"당신 회사에서는 8명이 일하는군요. 우리는 그보다 대단치 않은 일을 하는 데 2,000명을 투입하고 있습니다."

삼성전자도 안드로이드 시장을 휘어잡을 수 있었는데 꼰대 근성 때문에 변화의 기회를 발로 차버린 셈이다. 세계적인 기업 삼성전자라고 할지라도 내가 가진 관념을 버리지 않으면 절대 창조적 소통을 할 수가 없다. 삼성전자에서 거절당한 안드로이드는 이듬해인 2005년 구글에 인수되었다. 구글은 안드로이드를 인수해서 가장 많이 이용되고 있는 모바일 운영체계로 만들었고, 2011년에는 휴대폰업체인 모토롤라를 인수했다. 그리고 2014년에 인수한 딥마인드 테크놀로지는 2016년 봄 세계적인 주목을 받으면서 인공지능 알파고와 이세돌 프로바둑 9단의 바둑대회를 성사시켰다. 그리고 이세돌 9단이 이길 것이라는 예상을 뒤엎고 알파고가 5전 4승으로 승리함으로써 인공지능이 어디까지 왔는지를 많은 사람에게 알려주었다.

소통은 인간관계의 핵심 역량이기 때문에 능력 범주에 들어간다.

그래서 소통력을 키워야 한다. 내가 소통을 이야기하는 것은 내가 소통하지 못해서 실패한 일들이 너무 많기 때문이다. 고백하건대 나는 그동안 소통에 무능했다. 이제는 내 영혼과의 소통을 통해서 내 아이덴티티를 알아야 할 때다. 이것이 소통력이다. 그래야 미래의 내가 과거의 나보다 더 행복해질 수 있다.

소통력을 키우는 5가지 방법

1. 경청하라.

상대방의 말을 잘 들어주기만 해도 상대방은 내 편이 된다. 잘 들어주는 척이 아니라 진짜로 잘 들어주어야 한다. 특히 여성의 이야기는 끝까지 들어주어라. 이성 친구가 많은 남자들의 공통점은 이들의 이야기를 친정엄마처럼 잘 들어준다는 것이다. 했던 이야기 또 하고 했던 이야기 또 하더라도 끝까지 들어주어야 한다.

2. 양보하라.

10 중 9를 무조건 양보하라. 그러면 1이라도 얻을 수 있다. 1을 얻지 못하더라도 한 사람은 얻은 것이다.

3. 인내해야 한다.

상대가 나의 이야기에 귀를 기울일 자세가 될 때까지 기다려야 한다. 아니 어쩌면 나의 이야기가 궁금해 미칠 때까지 기다려야 한다.

4. 위의 모든 것을 습관화해라.

습관을 만들려면 진정성이 우선되어야 한다.

5. 지치지 말라.

소통에는 공짜가 없다.

긍정적
착각의 힘

보통 작은 기업은 근무환경이 열악하고 업무가 세분화되어 있지 않아서 개인이 해야 할 업무의 스펙트럼이 넓다. 1인 2역, 3역을 해야 하기 때문이다. 능력은 팔방미인을 요구하면서 보수는 중견기업이나 대기업보다 적기 때문에, 구직자들에게 인기가 없을 수밖에 없다.

처음 회사를 설립했을 때 나는 자본금도 없고 수익은 더더욱 없었으니, 일단 여직원 한 명을 두고 사업을 시작한 다음, 수익이 늘어나는 만큼 더 충원하면 될 것 같았다. 이러한 계획을 가지고 당시 25명의 직원을 두고 회사를 알차게 운영하는 친구에게 자문을 구했다. 그러자 그 친구는 나에게 뜻밖의 질문부터 했다.

"처음에 고용한 직원이 얼마나 근무할 것 같니?"

"무슨 말이지?"

"여직원 한 명이 사무실에서 남자 대표랑 근무하려고 할까?"

그 친구는 내 개념에 브레이크를 건 것이었다. 나는 당연하게 일 잘하는 여직원을 한 명 구해서 전화 받고 서류 정리하고 기획서 초안 만드는 정도의 사무적인 일을 맡기려고 했다. 그런데 예상하지 못했던 질문을 이 친구가 던진 것이다. 나 혼자서 그렇게 하면 될 거라고 단순하게 생각했던 것이 현실과는 너무 동떨어진 착각이었던 것이다. 당황하고 있는 나에게 친구는 쐐기를 박았다.

"일 잘하는 여직원이라는 말이 참 좋기는 한데, 일 잘하는 여직원은 일단 네 밑에 안 와. 온다 해도 오래 근무 안 해. 그리고 혼자 근무하면서 점심시간에 혼자 밥을 먹다 보면 외로워서 결국 나가."

나는 처음에 그 친구의 말이 굉장히 서운했다. 설마 그럴까 하는 의구심도 들었다.

그런데 그 친구의 말이 옳았다는 것을 며칠 지나지 않아서 알게 되었다. 여직원 한 명을 구해서 기본적인 일을 가르쳤는데 일주일도 되기 전에 그 직원이 그만둔 것이다. '외롭다'고 했다. 나는 취직을 했는데 외로워서 그만둔다는 것이 믿어지지 않아서 간과했다. 그런데 놀랍게도 사업 초기 3개월 동안 취업했다가 나간 직원이 6~7명이나 되었다. 친구 말이, 즉 경험자의 말이 맞았던 것이다.

그래서 당시 제일 무서운 말이 "대표님, 드릴 말이 있습니다"였다. 직원들이 와서 이 말을 하면 그만두려는 것 같아 가슴이 철렁 내려앉았다. 물론 지금도 마찬가지다. 직원들이 와서 "대표님, 드릴 말씀이 있는데요" 하면 가슴이 철렁한다.

그 원인을 분석해보니 전적으로 내 잘못이었다. 직원 고용이라는 기초적인 쌍방계약을 '이렇게 하면 되겠지' 하고 나 혼자 합의한 것이다. 내가 유리한 쪽으로 추측해 합의한 것이다. 자신이 부딪쳐보기 전에는 이것 자체를 생각 못하는 사람이 많다. 스스로 자가적 합의를 하기 때문이다.

나가는 직원에게 "왜 일을 그만두는 겁니까?"라고 물어보면 가장 많이 나오는 대답이 '심심해서', '외로워서'이다. 사실대로 말하기 미안하니까 핑계를 대기도 한다. "대학원에 진학하게 되어서요." "재미가 없어서요."

설마 그런 이유로 그만둘까 싶어서 간과했던 친구의 말이 3개월 후에 뚜껑을 열어보니 맞는 말이었다. 내가 창업할 때 마주쳐야 했던 형편없는 현실이었던 것이다. 그 현실 앞에서 내가 다음에 했던 행동은 더 가관이었다. 괜찮은 여직원을 뽑은 후에 이 직원이 그만둘까 봐 말벗이 되고 같이 밥 먹을 직원을 한 명 더 뽑은 것이다. 진짜로 그랬다. 그렇게 했더니 엉뚱한 데서 문제가 또 생겼다. 업무를 나누려고 해도 나눌 업무가 없는 잉여 직원이 생기는 것이다. 그러다 보니 처음 직원이 그만두었다.

당시 내 사무실에 일주일에 한 번씩 오던 사람이 이렇게 묻는 것이다.

"사무실에 직원이 많은가 보다. 몇 명 쓰니?"

웃기는 이야기지만 올 때마다 직원의 얼굴이 바뀌는 바람에 생긴 오해였다. 그 정도로 오랫동안 근무하는 직원이 없었다.

당시 나에게는 좋은 인재를 쓸 만한 자금이 없었다. 이것저것 자영업 한다고 말아먹고 연예계 활동도 부진해서 돈이 없었다. 그렇다고 어디 가서 사업자금을 빌려올 만한 염치도 나한테는 없었다. 다른 사람들은 사업계획서를 잘 써서 정부지원금도 받고 기관투자도 받는데, 나는 그런 주변머리도 없고 정보도 몰랐다. 정부지원금이나 기관투자도 다 빚이라고 생각하면 그것도 무서웠다.

그러다 보니 지금까지 진 빚이라고는 집을 살 때 받은 담보대출밖에 없다. 어떤 사람들은 사업가한테는 빚도 재산이고 능력이라고 말한다. 그 말이 맞을 것이다. 빚 없이 운영하는 기업이 어디 있단 말인가? 그런데 나는 빚도 없고 빌릴 염치도 없었으니 사업가가 아닌가 보다.

초기에 자금도 없고 좋은 인재도 없다 보니 사업이 애초에 계획했던 방향대로 나아가지 않았다. 그래서 더 악수를 두었다. 직원은 필요한데 구할 수 없으니 직업 없이 놀고 있던 지인을 고용한 것이다.

지인은 기획서를 쓸 줄 모를 뿐만 아니라 책임감도 찾아볼 수가 없었다. 자신을 직원이라 생각하지 않고 나를 도와준다고 생각했기 때문에 열심히 일하지 않았다. 일은 진행되지 않는데 돈은 똑같이 들었다. 그렇게 우왕좌왕하면서 1년의 세월이 흘렀고, 그동안 혼자 일을 다 했다. 직원 고용에 여러 번 실패한 후에는 기획서나 제안서를 밤을 새가면서 직접 썼다. 그렇게 3년을 하루에 3시간 자면서 일했다.

그때 내 생각의 키가 많이 컸다. 모든 일을 내가 다 하려니 사업의 진행 속도는 지지부진하기 짝이 없었지만 방향은 잃지 않았다. 방향은 잘 가고 있는데 속도가 느린 것이었다. 성공한 사람들의 책에 나오는, 열정과 패기와 꿈을 가지고 덤비는 사람들이 나한테도 있었으면 하고 생각했다. 아무래도 나한테는 그런 사람이 없구나 하는 자책도 여러 번 했다.

아마 나처럼 작은 소기업을 창업한 사람들은 나와 같은 일들을 겪었을 것이다. 물론 거래처를 많이 확보한 상태에서 시작한 곳도 있겠지만, 작은 여행사나 이벤트 회사, 무역 회사, 출판사, 컨설팅 업체나 서비스 업체는 나와 같은 경험을 했을 것이다. 그래서 나는 30명 정도의 직원을 가지고 20~30년 회사를 운영하는 곳의 사장님을 정말 존경한다. 얼마나 많이 속상해하면서 여기까지 왔을까 하는 존경심이 생기는 것이다.

100세 시대를 준비하려면 경제활동을 계속해야 하는데, 일자리가 넉넉하지 않아 창업하는 사람들이 많다. 자가 일자리 창출이다. 40세 이하의 청년 창업자 수보다 50세 이상 장년 창업자 수가 훨씬 많다. 아마 이분들 중에서 많은 분이 내가 겪은 기초적인 실수를 하게 될 것이다. 나 혼자서만 '그럴 것이다', '그러면 되지' 하는 착각 속에 빠지면 안 된다.

사업 준비를 철저히 하는 사람들이라면 내가 겪은 이런 기초적인 것을 간과할 리 없겠지만, 분명한 것은 크든 작든 기업이 무너지는 것은 쉬운 일이라고 생각했던 작은 일에서 시작된다. 큰 문제는 미리 예상하고 대비하지만 아주 작은 부분은 대수롭지 않게 여기고 준비하지 않기 때문이다.

착각이란 단어에는 사실상 부정의 의미가 강하다. 말할 때에도 '착각해라'보다는 '착각하지 마라'는 날선 지적이 우리에게는 더 익숙하다. 하지만 나는 계속 착각하기로 했다.

무슨 착각이든 긍정적으로 할 것이다. UCLA 심리학과 셸리 테일러(Shelly Taylor) 교수는 "사람들은 자신을 믿는 것을 여러 번 확신하지만 이런 믿음이 착각이라는 것을 알려주는 특정 뇌 부위는 존재하지 않는다"고 말하고, 긍정적 착각은 우리들에게 동기를 부여하고 행복감을 느끼도록 도움을 주고 성공할 수 있다는 자신감을 안겨줄 수 있다고 했다.

아울러 예일 대학교 심리학과 존 바그(John Bargh) 교수는 착각은 우리가 뭔가 할 수 있게 하는 힘을 가지고 있으며 좋거나 나쁘게 쓰일 수 있다고 했다. 나는 뭐든지 긍정적으로 생각하기로 했다. 그것이 착각일지언정. 착각이 없었다면 나는 아무것도 할 수 없었을 것이다.

대박 난 집은
상권을 따지지 않는다

·

'맛있는 집은 상권을 따지지 않는다'는 '명필은 붓을 가리지 않는다'는 말과 같다. 맛있는 대박 맛집의 비결은 상권에 있는 것이 아니라 주인에게 있다. 족발집이 잘된다고 해서 족발집을 차리면 구제역이 돌고, 치킨집이 잘된다고 해서 치킨집을 차리면 조류독감이 돌고, 횟집이 잘된다고 해서 횟집을 차리면 디스토마가 판을 친다는 이야기가 있다. 안 되는 사람들의 이야기다. 안 되는 사람들은 꼭 상권이 안 좋았다, 시기가 안 좋았다고 말한다. 맛있는 집의 대다수는 한적한 곳에 있다는 것을 아는가?

예전에는 으레 가게를 차리려면 역이나 버스 정거장 부근 등 사람들의 접근성이 좋은 장소를 선택해야 했다. 하지만 요즘은 차를 타고 찾아가서인지 유명한 곳은 대부분 한적한 곳에 있다. 방송을 잠시 접고 홍대 앞에서 북카페를 운영한 적이 있다. 당시에는 책을 읽고 커피도 마시고 와플도 먹는 북카페가 흔치 않았다. 처음에는 표영호가 차렸다는 소문이 나서 두 달은 잘되었다. 그런데 그 뒤로는 하루 매출이 7만원이었다. 딱 망하기 좋은 상황이었다.

우리 가게에서 한 20미터 떨어진 곳에 친한 작가 형이 하던 북카페가 있었는데, 거기에는 손님이 꽤 많았다. 선배 가게에는 손님이 많았고 내 북카페에는 없었다. 나는 1년 반 만에 북카페를 접었고, 그 형은 8년 동안 운영했다. 그래서 그 형에게 물었다.

"장사를 어떻게 하길래 가게에 손님이 끊이지 않고 올까요? 똑같은 책을 놓고 똑같은 커피를 파는데."

"홍대 앞에 있는 가게들은 커피를 팔거나 스파게티를 팔지 않아. 스토리가 있는 영혼을 팔아야 장사가 돼."

그냥 카페를 차린 나와 카페에 스토리를 심어가며 마음과 혼을 다해 파는 그 형은 차이가 있었던 것이다. 형이 하는 북카페에서는 어느 자리에서든 손만 뻗으면 책들이 손에 잡혔다. 진정한 북카페였다. 그리고 커피는 본인이 오랫동안 배워 직접 내려서 맛이 있었다. 그리고 매주 스토리 있게 읽을 수 있는 책들을 추천해주었다.

애인이 없는 20대가 읽어야 할 책, 40대에 시집 못 간 여자가 읽어야 할 책, 애인만 사귀면 차이는 사람이 읽어야 할 책, 깊은 지식은 없으나 얕은 지식으로 대화를 나누고자 할 때 읽어야 할 책, 비가 오면 읽고 싶은 책…. 이런 식으로 가게의 아이덴티티를 만들기 위해 끊임없이 노력했다. 반면에 나는 커피를 내릴 줄도 몰랐고, 북카페는 책이 있으면 된다고 생각하고 카페에 진열만 해두었다. 그러니 그는 성공하고 나는 실패한 것이 너무도 당연한 일이었다.

그리고 나는 왜 북카페가 망했는지 분석도 끝나지 않은 상황에서, 젊은 남녀가 많이 찾는다는 매운 닭발집을 차렸다. 그 닭발집도 2년 만에 문을 닫았다. 2년 동안 한 번도 흑자가 난 달이 없었다.

나는 운영을 맡긴 친한 후배가 알아서 잘할 거라고 믿었다. 1년 쯤 지났을 때 후배에게 흑자가 나지 않는 이유를 물었더니 보통 10년은 해야 대박집이 나온다는 것이었다. 생각해보니 일리 있는 말이라서 그냥 넘어갔는데, 가끔 가게에 나가보면 그 후배가 없었다. 피시방에서 게임하고 있던 그를 다시 가게에 데려다 놓으며 충고했다. "게임할 시간에 손님들과 이야기를 해. 그래야 단골손님도 생기지. 손님 잘 맞아라." 하지만 후배는 손님이 없는 날은 손님이 없는 거 확인하고 피시방 가고, 많은 날은 많은 거 확인하고 피시방에 갔다.

카운터에 있는 컴퓨터로 가게에 음악을 트는데, 하루는 노래 속에서 '콜, 콜, 다이, 다이, 다이' 이런 소리가 크게 들렸다. 카운터를 잘 지키라고 했더니 매출관리 컴퓨터 포스로 게임을 하고 있던 것이다. 불러서 야단을 치자 다시는 게임을 안 하겠다고 하여 가게 운영을 계속 맡겼다.

어느 날 후배는 건물 주인이 가겟세를 올려서 가게를 접어야겠다고 말했다. "10년 이상 해야 맛집이라면서 가겟세 때문에 가게를 그만둔다고 해?" 하고 물었더니, "가겟세만 안 올리면 10년 하면 되는데, 이런 것까지는 생각하지 못했지"라는 것이다. '아이고, 내 팔자야.'

결국 2년 만에 접었다. 친한 후배에게 가게를 맡겼는데 운영을 그런 식으로 했다. 하지만 생각해보면 잘못은 나에게 있다. 제대로 할 생각이었으면 남에게 맡기지 말고 내가 직접 올인해서 운영해야 했던 것이다.

대박집은 품목이나 상권을 따지지 않는다. 누가 운영하느냐, 즉 가게 주인이 어떻게 하느냐에 달려 있다. 램랜드라는 양고기집이 마포에 있다. 누가 운영하느냐에 따라 가게가 어떻게 달라지는지는 그 사장님을 보면 잘 알 수 있다. 양고기집 사장님은 원래 10평 남짓한 그 가게의 종업원이었다. 그런데 장사가 안돼서 가게를 내놓았을 때, 그 종업원이 전 주인에게 부탁했다.

"사장님, 가게를 제가 한번 운영해보겠습니다. 대신 가게를 인수할 만한 돈이 없으니 돈은 벌어서 갚겠습니다."

그런데 작은 아이디어가 큰 성과를 낳았다. 전 주인은 갈비를 똑바로 뼈를 따라 자른 반면, 이 사장님은 대각선으로 썰어서 삼각형을 만들었다. 그것을 삼각갈비라고 했다. 똑같은 고기를 달리 자른 것인데 그 집이 대박이 났다. 그래서 마포에 건물도 짓고 지금은 테이블이 70개 정도 되는데 예약하지 않으면 못 가는, 손님이 엄청 많은 명소가 되었다.

대박집은 상권이 좋은 곳에 있어서가 아니라 주인이 얼마나 성의 있게 가게를 잘 운영하느냐에 달려 있다. 주인이 만들어낸 다른 가게와의 작은 차이가 대박집이 되는 요인이다. 장사를 실패한 사람은 상권, 품목, 시기가 안 좋았다고 실패의 원인을 이야기하는데 나는 그렇게 생각하지 않는다.

"여긴 내 꿈이랑 달라. 재수하기 싫어서 들어온 대학이야."

"이 회사? 돈 벌려고 다니는 거지. 몇 년 있다가 그만둘 거야. 내가 하고 싶은 건 따로 있거든."

이렇게 말하면서 공부를 등한시하며 대학생활을 하거나, 회사에 다니면서도 자기 일에 최선을 다하지 않는 등 현실을 핑계로 하루하루를 대충 보내면 안 된다.

소설가의 꿈을 가진 친구가 있었다. 하지만 등단에 실패하면서 그는 생계를 위해 자동차 영업사원으로 취직했다. 그는 늘 "최소한의 일만 하며 작품을 준비해서 하루 빨리 이 일에서 벗어나야지. 이 일은 잠깐 하는 일이야"라는 말을 입에 달고 살았다. 그러면서도 그는 회사를 10년 동안이나 더 다녔다. 소설을 쓴 것도 회사에 집중한 것도 아니었기 때문에, 그는 어느 쪽 일도 제대로 하지 못했다. 그는 함께 입사했던 동기와 후임이 승진하는 것을 지켜보며 희망 퇴직했고, 다른 일들을 전전해야만 했다. 그는 자신의 삶을 되돌아보며 이런저런 핑계로 현실에 전력질주하지 못한 점을 아쉬워했지만, 결과적으로는 아무것도 얻지 못했다.

지금 하고 있는 일에 최선을 다하지 않고 핑계로 일관한다면 무엇을 할 수 있을까? 핑계대지 말라. 지나온 것을 반성하면 성장이 있지만, 핑계를 만들어 스스로를 위로한다면 계속 핑계로 일관된 삶을 살게 될 것이다. 더 이상의 핑계는 쪽팔리지 않은가?

직장인이 부자 되는
가장 쉬운 방법

.

모든 사람은 부자가 되기를 원한다. 하지만 돈의 규모에는 한계가 있어서 절대로 모두 부자가 될 수 없다. 부자의 기준을 무엇으로 잡을 것인가? 이 글에서는 돈에만 한정해서 이야기하려고 한다.

"돈이 뭐 중요하냐? 사람이 좋으면 그만이지"라고 이야기하는 사람도 더러 있긴 하다. 하지만 그런 사람일수록 더 벌려고 뒤로는 발버둥치는 경우가 많다. 마치 수면 위에 고상하게 떠 있지만 수면 아래서는 쉴 새 없이 발을 동동거리고 있는 백조처럼 말이다.

우리가 부자라고 생각하는 기준을 알아보자. 돈을 얼마나 가지고 있어야 부자일까?

우리나라 사람들 10명 중 2명은 100억 원이 있어야 부자라고 생각하고, 다른 2명은 30억 원, 또 다른 2명은 50억 원이라고 생각한다는 설문조사가 있다. 평균은 45억 원이라고 한다. 일반 직장인이 평생 모을 수 있는 목표 재산을 약 9억 원 정도라고 하는데, 9억 원을 가지고는 부자의 반열에 끼지 못하는 것이 현실이다. 따져보자. 요즘 대기업 신입사원의 연봉은 평균 3,500만 원이라고 한다. 이것은 언제까지나 대기업과 꿈의 직장이라고 불리는 공기업의 연봉 수준이다. 어쨌든 이것을 20년 정도 근무한다고 가정하면, 나이는 50세 정도가 될 것이고 평균 연소득은 6,000만 원 정도로 잡을 수 있다. 각종 세금이나 공제액을 떼고 실수령액이 평균 5,000만 원 정도 된다고 하면, 20년간 일한 대가로 실제로는 10억 원 정도 받는 것이다.

여기에 결혼 자금, 자녀교육비, 생활비 등을 빼고 나면 연간 저축할 수 있는 돈이 1,000만 원 정도 된다. 그러면 20년 동안 저축으로 모을 수 있는 돈이 2억 원 정도이고, 악착같이 모은다 해도 3억 원 정도 아닐까? 이런 계산으로 목표 재산인 9억 원을 모을 수 있을까?

내가 아는 모 은행의 부장은 금융권에 근무하기에 그나마 연봉이 좀 센 편이지만 지금까지 모은 돈이 집 5억 원, 현금자산 1억 원이라고 했다. 살면서 집안에 아픈 사람이 없고, 집 근처 산책을 취미로 하고, 동창회가 뭔지도 모르고 살아야만 돈을 좀 모을 수 있다는 볼멘소리가 어쩌면 맞는 소리일 수도 있다.

금융계에 근무하는 사람들의 모임인 모 금융포럼에 강연자로 초청받아서 '소통으로 행복해지기'라는 주제로 강의한 적이 있다. 그 강연장에 강의를 들으러 오신 분 중에 이름만 대면 알 수 있는 회사의 사장님이 계셨다. 사실 이 분은 남들의 몇 배나 되는 연봉을 받는 분인데, 강의 전 식사 자리에서 내가 돌직구 질문을 던졌다.

"사장님, 연봉이 얼마세요?"

"돈에 연연하진 않습니다. 그냥 먹고살 만큼은 번 것 같습니다."

그분은 이렇게 겸손하게 말씀하셨다. 강연 중에 행복을 이야기하던 나는 이 분의 예를 들어 이런 이야기를 했다.

"회사라는 것이 조직문화라서 서열이 있게 마련인데, 이 서열은 피라미드 구조라서 위로 올라갈수록 자리의 수가 많지 않습니다. 특히 사장 자리는 한 명이기 때문에 다른 동기들이나 다른 선후배들보다 몇 배는 더 열심히 일했고 그 능력을 인정받았으니까 사장 자리에 올라간 것입니다. 여러분, 존경의 박수 한번 보내주세요. 사장 자리에 오르니까 연봉은 더 받아서 좋은데 보통 힘들게 일해서 저 자리에 올라간 것이 아닙니다. 남들이 일찍 퇴근해서 가정에 충실할 때 사장님은 아마도 늦게까지 회사를 위해서 일했고, 분명히 주말에도 회사 일을 하느라 쉬지 못했을 것입니다. 그래서 회사에서는 능력자일지 몰라도 집 안에서는 어쩌면 엉망인 남편일지도 모르죠. 사장님의 부인께서 지금까지 자녀분들 잘 키우고 내조 잘한 것은 아마도 사장님 연봉을 보고 참은 것일 수도 있습니다. 여러분도 동의하세요?"

그러자 웃음이 터져 나왔다.

월급쟁이 직장인 중에도 부자들이 있다. 이들의 대부분은 재테크보다는 일에 투자한다. 주식이나 부업을 생각하거나 일시적인 아르바이트를 하기보다 일에 대한 집중도를 높인 사람이 부자가 되는 경우가 더 많은 것이다. 그것은 직장에서 성공하면 연봉도 오르고 더 오래 일할 수 있어서, 젊을 때일수록 직장 일에 몰입하고 투자하는 것이 낫기 때문이다.

직장인 부자들의 한 가지 공통점은 자기의 본분에 충실하다는 것이다. 지금의 위치에 맞게 일의 목표를 세우고 비전을 만들어 그것을 현실화하는 능력이 있다. 자기 본분에 충실한 것이 부자가 되는 가장 쉬운 방법이란 것은 비단 직장인에게만 해당되는 말은 아니다. 애플의 스티브 잡스는 자기가 고용한 전문경영인 존 스컬리(John Scully)에게 해고당한 적이 있다.

재미있게도 존 스컬리는 자기 회사를 만든 적이 없었다. 직장인으로 성공한 후에 스컬리 브라더스라는 투자회사를 세워서 유망한 벤처회사를 지원하는 일을 하고는 있지만 그 이전엔 회사를 설립한 적이 없었다. 그가 대학을 졸업하고 제일 먼저 취직한 곳은 펩시콜라였다. 입사한 지 3년 만에 펩시콜라 부사장 자리에 오르는 기염을 보여주면서 세상에 알려지기 시작했으며, 이때의 나이가 30세였다.

코카콜라에 뒤쳐진 펩시는 회사를 매각해야 될 정도로 위기에 빠진 상태였는데 새로운 제품 개발과 독특한 마케팅으로 시장점유율을 높였고, 그 공로를 인정받아 급기야는 펩시의 최고경영자 자리에 오르게 된다. 입사한 지 7년 만의 일이다. 최고경영자 자리에 최연소로 오른 기록이기도 하다. 이러니 같이 입사한 동기들보다 연봉은 당연히 많이 받지 않았을까?

스티브 잡스는 스컬리에게 애플을 맡아달라고 삼고초려하는 마음으로 지속적으로 매달렸다고 한다. 스컬리 입장에서는 펩시콜라라고 하는 대기업의 사장 자리를 내려놓고 신생 기업으로 가기는 쉽지 않은 선택이었으리라.

"평생 설탕물이나 만들고 살 것이오? 이제 나와 함께 사람들의 꿈을 만드는 일을 합시다."

잡스는 스컬리에게 이렇게 말했고, 이 말을 들은 존 스컬리는 망설임 없이 애플로 이직했다고 한다. 스컬리는 마케팅을 하는 사람이었지만 사실 IT와 컴퓨터에 대해 잘 몰랐다고 한다. 오랫동안 잡스의 구애를 받았지만 선뜻 응하지 못한 것은 어쩌면 해오던 일과는 전혀 다른 일이라 잘할 수 있을까 망설였기 때문이 아닐까?

'칼국수 잘 끓이는 사람은 수제비도 잘 끓인다'는 말이 있다. 자신이 하는 일에 대해 성의 있는 태도를 가지고 있다면, 다른 분야의 일이라도 잘 해낼 수 있다는 것을 나는 믿는다. 존 스컬리가 독단적으로 스티브 잡스를 내보낸 것이 아니라 임원들의 투표를 통해 결정된 사항이라는 것이 사실은 더 충격적이다. 같이 일하는 임원들이 스컬리의 능력을 그만큼 인정했다는 것은 그가 일에 대해 보여준 신뢰 때문일 것이다. 직장인도 이 정도면 엄청난 부를 이루는 것이 당연한 것 아닌가?

이런 이야기는 굳이 바다 건너 미국에서 찾지 않고 한국에서도 얼마든지 찾을 수 있다. 내가 데뷔해서 일을 하던 방송국에는 김영희

PD가 있었다. 〈이경규의 몰래 카메라〉, 〈칭찬합시다〉, 〈21세기 위원회〉, 〈나는 가수다〉 등등 제목만 대도 금방 알 수 있는 프로그램을 만든 대단한 프로듀서다.

방송국에서는 능력을 조금 더 발휘한다고 해서 남들보다 연봉을 몇 배 더 주지는 않지만, 그래도 새로 론칭되는 프로그램을 맡기거나 스스로 기획해서 올리는 프로그램을 할 수 있도록 기회를 더 주는 것이 다반사다.

방송국도 타 방송사와 시간대별로 시청률 경쟁을 한다. 시청률에 따라 광고나 방송국의 지원 등이 달라지기 때문에 능력 있는 사람에게 프로그램을 맡기는 것은 당연한 일이다. 김영희 PD와 일을 하며 나는 그분에게 직간접적으로 많은 것을 배웠다.

〈칭찬합시다〉를 진행할 때의 일이다. 김영희 PD가 나에게 "나 오늘부터 술, 담배 끊었다"라고 말하기에 왜냐고 물었더니, "프로그램 시청률이 30%가 넘을 때까지 끊을 거야. 너도 끊어!"라고 단호하게 얘기하는 것이었다. 지금도 그렇지만 10년 전에도 시청률이 30%가 넘는 프로그램을 만든다는 것은 결코 쉬운 일이 아니었다.

〈칭찬합시다〉를 론칭하기 전에 다른 예능 프로그램의 시청률이 평균 12% 정도였는데, 목표를 15%나 20%가 아니라 너무 어려운 30%로 잡은 것부터가 범상치 않았다. 하지만 이분의 일하는 스타일을 보면 30%라는 수치가 단순히 목표가 아니라 진짜 해낼 수 있는 현실의 수치로 보인다.

야외 촬영을 하면 혹시라도 벌어질 모든 경우의 수까지 따져서 카메라를 배치하는 것은 물론이거니와, 어떤 출연자가 어느 행동을 할 때 또는 어떤 장면일 때 시청률이 오르기 시작하는지를 살피고 그것을 극대화해서 편집한다. 그의 일거수일투족은 모두 방송만을 위한 것이고 며칠 동안 잠도 안 자가며 프로그램을 만든다.

이렇게 철두철미하게 일하는 독종 연출자를 만난 출연자들은 행복한 행운아다. 시청률이 많이 나오는 프로그램에 출연하면 자연스럽게 인기도 오르고 수입도 늘어나기 때문이다. 한때는 김영희 PD가 만드는 프로그램이라는 것만 알고 제목도 내용도 모른 채 연예인들이 섭외되어 현장에서 "나 뭐하면 되요?"라고 묻는 일이 비일비재했다. 심지어 그렇게 녹화된 것을 방송으로 본 연예인들이 '아, 저것을 내가 찍었구나' 하면서 놀라기도 했다.

그렇게 프로그램을 만드는 데 천재적인 면을 보여 방송국에서는 김영희 PD를 최고의 예능 PD라고 인정한다. 그랬던 그가 지금은 중국에 진출해서 고소득의 연봉을 받는 프로듀서로 활동하고 있다. 비서 4명이 붙어서 업무를 챙겨야 할 정도로 중국에서도 최고로 인정받으며 한국 방송의 실력을 유감없이 보여주고 있다. 만약에 그가 일에 집중하지 않고 다른 것에 많이 기웃거렸다면 지금의 자리에 서지 못했을 것이다.

자기 본분에 집중하는 능력, 자기 본분에 충실한 자세가 부자를 만든다. 설사 그가 흙수저로 태어났다 하더라도 그런 자세는 결국 그를 부자로 만든다고 나는 확신한다.

하려고 하면 방법이 보이지만
하지 않으려고 하면 핑계가 보인다

'시작이 반이다'라는 말이 있다. 아무리 오랫동안 완벽한 계획을 세웠다 해도 시작하지 않으면 아무 일도 일어나지 않는다. 어떤 일이든 일단 시작해야 진도가 나가기 때문에, 이 말은 절대적으로 옳다고 본다. 시작하는 것이 어떤 일을 완성시키는 데 50% 정도 중요하다면, 그 나머지 반을 채우는 것은 무엇일까? 그것은 바로 지속력이다. 시작한 일은 지속력을 가지고 꾸준히 나아가야 결과에 도달할 수 있다. 지속력이 생길 만하면 브레이크가 걸려서 지속력이 유지되지 않는다면, 열정과 쏟았던 에너지의 양만큼 지친다. 시작은 했으나 끝이 없는 용두사미(龍頭蛇尾)가 되고 말 것이다.

소설가 무라카미 하루키(村上春樹) 역시 자신의 에세이에서 지속력의 중요성에 관해 다음과 같이 말하고 있다.

"재능 다음으로 소설가에게 중요한 자질이 무엇인가 질문 받는다면 주저 없이 집중력을 꼽는다… 집중력 다음으로 필요한 것은 지속력이다… 반년이나 1년이나 2년간 매일의 집중을 계속 유지할 수 있는 힘이, 소설가에게는 요구된다. 호흡법으로 비유해보면, 집중하는 것이 그저 가만히 깊게 숨을 참는 작업이라고 한다면, 숨을 지속한다는 것은 조용히 그리고 천천히 호흡해가는 요령을 터득하는 작업이다. 집중력과 지속력은 고맙게도 재능의 경우와 달라서, 트레이닝에 따라 후천적으로 획득할 수 있고 그 자질을 향상시켜 나갈 수도 있다…."

하루키처럼 장편소설을 쓸 때뿐만 아니라 어떤 프로젝트를 추진할 때도 집중력과 지속력이 없으면 일을 성공적으로 마무리 짓기 힘들다. 리더가 이끄는 대로 따라와 주는 직원들이건, 앞서서 준비해주는 직원들이건 지속력 있는 직원들이 있어야 성공할 것이다. 그런데 불행하게도 집중력과 지속력을 지니고 있는 인재들은 보통 창업을 한다. 그리고 아이러니하게도 중소기업이나 소기업을 창업한 그 인재가 자신과 함께 일할 직원을 구하고자 할 때는 원하는 자질을 가진 직원을 찾기가 힘들다. 그래서 중소기업이나 소기업 창업의 경우, 대기업보다 지속력이 떨어진다.

처음부터 지속력 있는 사람인지 아닌지를 판단하는 눈도 필요하고, 그렇지 않은 직원이라 할지라도 그에게 미래를 보여주고 희망을 품게 하고 능력을 키워주는 것이 창업하는 사람들과 중소기업 오너들의 몫이다. 그런데 그렇게 창업하는 사람과 중소기업 오너들은 슈퍼맨이 아니다. 지치는 것이다. 그러다 보니까 많이들 폐업한다. 폐업하고 싶어서 하는 게 아니라 더 나아갈 수가 없어서, 더 버틸 수가 없어서 하는 것이다.

그럼에도 불구하고 폐업하지 않는 사람들은 끈기가 있어서가 아니라 선택의 여지가 없기 때문이다. 계속할 수밖에 없는 것이다. 나 역시 이 범주에 속하는 사람이고, 직원들의 능력치를 키우기 위해 수년간 노력해왔다.

우리 직원들에게 교육과정 프로그램에 대한 아이디어를 내라고 했다. 그런데 6개월이 지나도록 아무도 아이디어를 안 가지고 왔다. 그래서 회의를 했다. 카테고리를 몇 가지 정해서 교육 프로그램을 만들어보라고 담당자를 선정해서 일을 맡겼다. 역시 6개월이 지나도록 그 프로젝트 명령에 대한 결과를 가져오는 직원이 없었다. 그래서 다시 회의를 열어서 왜 결과를 가져오지 않느냐고 물었더니 "예, 알겠습니다"라는 대답이 돌아왔다. 그 대답 후 또 6개월이 지나도 감감무소식이었다.

더 이상 견딜 수 없게 된 나는 그 직원을 붙잡고 애원하듯 말했다.

"일단 만들어 오면 그것이 좋은 아이디어든, 필요치 않은 아이디어든 회의를 통해 좋은 아이디어로 발전시킬 수 있는데, 왜 해보려고조차 않는 거죠?"

"대표님이 그 뒤에 묻지 않아서 안 해도 되는 줄 알았습니다."

그 직원의 대답을 듣는 순간, 그야말로 절망감이 밀려왔다. 음식을 만들어서 입에 넣어주고 턱까지 손으로 움직여줘야 음식을 씹을 수 있는 아이처럼 자기의 능력을 발휘하려고 하지 않는 직원이 있을 때는 정말 견디기가 어렵다. 중간에 체크하지 않은 나의 잘못도 있지만, 회의에서 한번 결정한 사항을 진행하지 않는 것은 자기의 무능을 드러내는 것이다.

앞에서 언급한 바 있는 '주섬주섬 떠나는 여행'을 기획한 강기태 여행대학 총장은 섬청년탐사대를 만들어 섬으로 쓰레기를 주우러 가는 여행을 계획할 때, 성공 여부에 대해서는 고민하지 않았다고 한다. 재미있으면 사람들이 동참할 거라고 믿었다고 한다. 그 여행은 지금도 성업 중인 재미있는 대박 아이템이다. 그와 같은 사람들이 우리 회사에 있으면 좋겠다고 생각했는데, 그 후배 역시 창업을 했다. 아마 그 후배도 나와 같이 초기 1년간 고통에 시달리고 있을 것이다.

내가 말하고 싶은 것은 생각한 것을 행동으로 옮겨야 그것이 경험이 되고, 살아 있는 지식이 되고, 그것을 활용할 수 있는 데이터도 몸 속에 저장이 되어 성공할 수 있는 DNA가 생성된다는 것이다.

하려고 하면 방법이 보이고 하지 않으려고 하면 핑계가 보인다. 어떤 일을 할 때 성공하고자 하는 강한 의지가 있으면 안 되는 것도 되게 할 수 있는 방법이 보이는 것이다. 강한 의지를 지닌 사람이 바로 소기업 창업자들에게 필요한 인재상이다. 그런데 그런 사람은 정말 많지가 않다.

내가 아는 사람이 문구, 완구, 팬시를 만드는 회사에 5년을 다니다가 직접 창업하려고 회사를 그만두고 나왔다. 그런데 함께 일하던 동료가 같이하자고 해서 둘이 회사를 차렸다. 그 두 사람이 의기투합할 수 있었던 것은 함께 일하며 지켜봐서 서로가 성실하고 에너지 넘친다는 것을 알았기 때문이다. 두 사람이 세운 회사는 지난 10년 동안 100배 성장했다. 요즘은 화장품 사업에도 진출하는 등 사업이 순조롭게 잘 진행되고 있다.

두 사람에게 성공할 수 있었던 요인을 물어봤더니, "내가 부족한 것을 채워주는 파트너가 있었기 때문이다"라고 했다. 둘은 자기가 갖지 못한 상대방의 재능에 기댈 수 있고 문제를 해결해줄 수 있는 지겟작대기 역할을 서로에게 해주고 있었다.

창업을 할 때 중요한 것이 세 가지 있다. 사람(Who), 사업 아이템(What), 돈(Money)이다. 누구랑 무엇을 해서 돈을 벌 것인가, 또는 누구랑 무엇을 하려고 하는데 자본이 얼마가 필요한가, 이것이 해결되면 이후에는 지속적으로 꾸준히 노력하면 된다. 사업한다고 하면 보통 사업 자금이 가장 중요할 것 같지만, 실은 돈이 없어 사업을 못하는 것보다 같이 일할 사람이 없어서 사업을 못하는 경우가 더 많다. 세 가지 중 가장 중요한 것은 바로 사람인 것이다.

무엇인가를 꿈꾼다면, 나와 같이 꿈을 꿀 사람(Who)을 찾아서 의기투합하면 혼자 하는 것보다 훨씬 더 큰 시너지가 나올 수 있다. 일을 같이할 사람을 판단할 때는 자기가 어떤 일을 못하는 것을 당연히 여기는 사람, 자기가 어떤 일을 못하는 것에 대해 늘 핑계를 대는 사람과 함께 꿈을 꾸어서는 절대로 안 된다. 백전백패다.

Who, What, Money의 법칙

·

나는 굿마이크라는 교육 사업을 하면서 같이 꿈을 꿀 동업자나 직원을 만나지 못했다. 그래서인지 아직 큰 성공을 거두지는 못했다. 다행인 것은 지난 4년 반 동안 적자 없이 운영할 수 있었다는 것이다. 사람들은 강의와 관련된 교육 사업을 하면서 적자 없이 운영하는 것을 보고 대단하다고 한다. 하지만 내 스스로는 갈증이 많이 난다. 성장할 수 있는 것이 눈에 보이는데 성장하지 못하고 맴돌고 있는 것에 대한 갈증이다.

그런 속내를 내비치면 사람들이 나에게 묻는다.

"방송을 하다가 음식점을 하는 것도 아니고, 방송과는 아무런 연관이 없는 교육 사업을 하잖아요. 남들이 흔히 성공하는 음식점은 다 망했는데 어떻게 교육 사업은 그렇게 잘 운영하세요? 이렇게 어려운 경제 환경에서 어떻게 손해 안 보고 잘 버티고 있는지 궁금하고, 그 사실만으로도 정말 대단해요."

한번은 후배와 사업을 시작하는 입장에 대해서 이야기하다가 의견이 엇갈려서 한참 동안 언쟁한 적이 있다.

"너는 사업을 하려면 무엇이 필요하다고 생각해?"라고 물었더니 후배는 이렇게 대답했다. "사업은 돈이 있으면 돼. 일단 돈이 있으면 그 돈으로 무엇을 할 수 있는지 알아보고, 그중에서 하고 싶은 것을 찾아 시작하면 돼. 돈이 돈을 버는 거지."

후배는 돈만 있으면 사업할 수 있다는 확신을 갖고 있었다. 하지만 몇 번 사업을 해본 나는 그 후배의 논리에 찬성할 수 없었다. 내가 직접 사업을 해보니까 가장 중요한 것은 누구와 함께 일을 하느냐였다. 함께하는 파트너, 함께하는 동료, 함께하는 직원이 가장 중요하다. 특히 작은 기업일수록 누구랑 하느냐가 중요하다.

그래서 사업을 하는 사람에게 가장 중요하다고 느끼는 것을 순서대로 말하면 Who, What, Money다. 누구랑 하느냐가 가장 중요하고, 무엇을 할 것인가는 그다음 문제다. 금전적인 문제는 정부 지원부터 투자 펀드까지 다양하게 활용하여 해결할 수가 있다. 항상 사람이 중요하다. 무슨 일을 하느냐, 돈은 얼마나 있느냐, 얼마를 투자하느냐, 얼마를 버느냐가 아니라 누구랑 하느냐가 일의 성패에서 가장 중요하다.

그렇다면 어떤 사람과 일할 것인가?

함께 일하는 사람의 조건 중 가장 중요한 것은 열정이 있는가다. 열정이란 어떤 일에 열렬한 애정을 가지고 있는 것을 말한다. 남자들이 누군가에게 열렬한 애정을 가지고 있을 때 어떻게 하는가? 머릿속이 온통 그녀의 생각으로 가득 차고, 그녀의 생각이 궁금하고, 그녀가 무엇을 좋아하고 무엇을 싫어하는지, 어떤 선물을 주면 좋아할지 모든 관심이 그녀에게 쏠린다. 관심 없는 사람에 대해서는 1년 동안 옆에 있어도 알아내지 못했던 것을 짧은 기간 내에 알아내게 된다.

일할 때도 마찬가지다. 어떤 일에 열정을 가지고 있으면 온통 그 일에 대한 생각으로 몰두하게 되고, 문제점이 있을 때 해결책을 빨리 찾아내게 되고, 모르는 것이 있으면 알아내기 위해서 고군분투하게 된다. 그래서 적어도 열정을 가지고 있는 일에 대해서는 다른 사람보다 빨리 파악할 수 있고, 빨리 전문가가 되며, 일을 더 잘하기 위해 노력하게 된다.

우리 뇌는 신기한 능력이 있다. 우리가 원하는 것이 확실하고 뚜렷하게 그려진다면, 우리 뇌는 그렇게 되도록 잠재력을 끌어낸다. '간절히 원하면 이루어진다'는 말은 괜한 말이 아니다. 따라서 간절히 원하는 무언가가 있다면 노력이나 실천 이전에 자신이 간절하게 원하는 것이 무엇인지 뇌가 인식할 수 있도록 머릿속에 확실히 그림을 그려야 한다. 행동으로 옮기는 것보다 자신이 무엇을 원하는지 확실히 하는 것이 선행되어야 한다는 것이다. 그러면 성공에 남보다 한발 먼저 다가서게 된다.

열정이 있는가를 보는 것은 성공하고자 하는 자세를 갖췄는가를 보는 것이다. 일에 대한 애정이 있는 사람은 일 처리를 성의 있게 하는 사람이고, 모르는 것을 알려고 고군분투하는 사람은 그 일에 대해 전문성을 갖게 된다. 같이 일하는 파트너나 직원의 태도와 전문성이 성격이나 취향보다 더 중요하다는 것이다. 전문성이 없다면 스스로 전문성을 기르려고 노력하는 사람이 중요하다. 이런 사람과 일해야 한다. 아이템을 선정하는 문제도 이런 조건을 가진 사람과 의논하면 보다 좋은 아이템을 선택할 수 있다.

같이 일하기 싫은 사람에 대한 설문조사를 했더니, 상사에게 아부 잘하는 사람, 팀 전체의 공을 자기 것으로 돌리는 사람, 잘 안 씻는 사람 등 성격과 관련된 것이 많았다. 그러다 보니 작은 스타트업 기업을 할 때, 평소에 친분이 있거나 성격이 잘 맞는 사람과 같이하려고 하는 경우가 있다. 하지만 자칫하면 서로의 관계까지 망칠 수 있다.

두 사람이 같이 사업을 해서 서로 윈윈하기 위해서는 열정이 필수 조건이다. 성격은 잘 맞아도 일할 때는 전혀 안 맞을 수 있다. 반면에 평소 성격은 맞지 않지만 일에 대한 궁합은 맞는 사람들이 있다. 어떤 프로젝트를 진행할 때 어떤 사람과 팀이 되는가, 또는 팀장이 어떤 구성원으로 팀을 구성하는가에 따라 일의 진척도나 성공도가 달라진다.

둘이 동업하여 출판유통업을 하는 사람을 알고 있는데, 그 둘은 원래 친한 친구 사이가 아니었다. 같은 회사에 근무하면서 서로 일 처리하는 능력을 보고 5,000만 원씩 모아서 회사를 설립했다고 한다. 한 사람은 서류를 꼼꼼하게 만들고 정리하는 재주가 있었고, 또 한 사람은 영업을 정말 철저하게 잘했다. 서로에게 둘은 꼭 필요한 파트너가 됐다.

그렇게 두 사람이 의기투합해서 만든 회사는 10년 동안 200배 성장했다. 이 둘이 'Who'다. 이 둘이 합쳐서 만든 출판유통이 'What'이다. 'Money'인 사업 자금은 각자 5,000만 원씩 대출을 받았다. 만일 둘 중 한 사람이 자기 역할을 제대로 하지 못했다면 이 사람들은 성공하지 못했을 것이다.

사업을 처음 시작하면서 구성원을 만들 때는 반드시 파트너 정신이 있는 사람들, 정신이 충만한 사람들, 리더십만큼 팔로우십의 중요성을 아는 사람들과 함께 시작해야 한다.

그런데 나는 아직도 'Who'가 없다. 혼자 고군분투하며 열심히 하는 것까지는 나 스스로 생각해도 대견하다. 하지만 자본과 매출이 충분하지 않는 상황에서 거액의 연봉을 주며 밖에서 사람을 끌고 올 수 있는 입장이 못 되니 'Who'도 없고 'Money'도 없는 셈이다. 사업을 시작하려고 하는 사람들은 나와 함께 뜻을 품을 자가 누군지, 그 사람이 구성원이 될 만한 세 가지 조건을 갖췄는지 반드시 점검해야 한다. 그리고 나 스스로도 이 세 가지에 부합되어야 한다.

모든 일은 사람이 하는 것이기에 결국에는 사람이 재산이다. 유비가 제갈공명을 얻으려 왜 삼고초려(三顧草廬) 했겠는가? 돈 때문에 사람을 잃어서는 안 된다. 좋은 사람을 내 편으로 만들고 나를 위해 일하게 만들려면, 반드시 나부터 좋은 사람이 되어야 한다. 주변에 좋은 사람이 있다면 꾸준하게 인간관계를 유지하는 것이 좋다. 지금 당장 그 사람과 같이할 수 있는 일이 없더라도 그 사람을 알고 있다는 것 자체가 큰 도움이 될 수 있다. 좋은 사람을 만나기란 쉽지 않기에 이해관계에 얽혀 다투어서는 안 된다.

나만의 무기를
만들어라

·

손님이 별로 없는 식당에 가면 메뉴판에 음식이 15가지 이상인 곳이 많다. 그 많은 음식이 모두 상품으로서 값어치가 있는 것이 아니라, 그냥 주인아주머니가 할 줄 아는 음식을 다 써놓은 것이다. 그러니 메뉴는 다양해도 품질이 떨어져서, 맛없는 메뉴를 한 번 먹고 실망한 사람은 그 식당에 오지 않게 된다. 그러나 성공하는 식당은 보통 메뉴가 한두 가지, 많아야 다섯 가지 안쪽이다. 그 정도가 고객의 만족도를 충분히 높일 만큼 제대로 된 맛을 보여줄 수 있는 수치다. 한 사람이 모든 것을 잘할 수는 없다.

개그맨도 재주가 많으면 못 뜬다. 후배들 중에 진짜 재주 많은 후배가 심현섭, 오승환이다. 대한민국 개그맨 중에 최고의 개인기를 가진 이 두 사람이 참 아깝긴 하다. 심현섭은 갖춘 재주에 비해 빛을 못 본 케이스다. 잠깐 반짝 뜨기는 했지만 그야말로 반짝이었고 유지하는 데는 실패했다. 오승환은 최현진이라는 친구와 개그 듀오 화니지니로 활동했는데 재주에 비해 역시 빛을 보지 못했다. 마이크를 쥐어주고 대본 없이 관객을 웃겨보라고 하면 이 두 명이 대한민국 최고다. 두세 시간은 물론 서너 시간까지도 혼자서 요절복통시킬 재능을 가진 후배들이다.

재미있게도 핫한 인기를 가진 개그맨들의 공통점은 재주가 없다는 것이다. 스타로 뜬 개그맨들은 한마디로 재주가 별로 없다. 우리가 알고 있는 유재석은 '이거다'라고 내세울 만한 재주가 없다. 소위 개인기나 장기가 없다. 신동엽은 신인 시절 PD가 "동엽이 넌 뭘 잘하지?" 하고 물었을 때 "잘하는 게 없습니다. 대신 못하는 것도 없습니다"라고 대답했다. 한때 국진이빵이 나왔을 정도로 국민 개그맨이었고 지금도 인기를 끌고 있는 김국진도 개그맨으로서의 특별한 재주는 없다. 이경규 선배도 역시 눈알 돌리는 것 외에는 재주가 없다. 그보다 훨씬 먼저 대스타가 된 주병진 선배도 개그맨으로 남을 웃길 만한 특별한 재주는 없는 분이다.

신동엽은 내세울 만한 재주가 딱히 없어서일까? 우직하게 방송 프로그램에 녹여들기를 잘하는 친구다. 살아남기 위해서 PD가 이것저것 주문하는 것을 그때그때 잘 해내는 것이다. 그래서 특별히 잘하는 게 없는 친구가 노력을 더 많이 해서 인기를 얻게 된 경우라고 본다. 김국진 역시 재주가 없으니 독서와 사색으로 방송의 흐름을 읽는 매의 눈을 가지고 있다. 어떤 유형의 프로그램이 인기를 얻는지,

거기서 자기가 어떻게 행동해야 되는지를 연구하는 사람이다.

주병진도, 이경규도 마찬가지다. 끊임없는 아이디어 회의와 특색에 맞는 프로그램 개발로 30년 넘게 스타 자리를 굳히고 있다. 재주가 많으면 그 재주를 믿고 별 달리 노력을 안 한다. 수많은 재주를 보여주기만 해도 사람들이 웃으니까 달리 노력할 게 없다고 생각해서 그런지, 아이러니하게도 재주가 많으면 연예인으로서 성공하기 힘들다.

그런데 그것이 식당에도 해당된다. 진짜 대박집은 음식이 두세 가지인 집이 많다. 내가 사업을 하면서도 이런 이유 때문에 말문이 막히고 민망했던 적이 있다. 하루는 여직원이 내게 하소연을 했다.

"대표님, 우리 굿마이크의 정체성은 뭡니까? 우리 굿마이크가 잘하는 게 뭐죠?"

나는 아무 대답도 못했다. 왜냐하면 굿마이크는 강사 파견업, 교육 프로그램 개발, 이벤트 기획 진행, 홍보 등 여러 가지 일을 하고 있었기 때문이다. 하는 일이 다양했기 때문에 직원들은 이 일 저 일, 여러 가지 일을 두서없이 하고 있었다. 특별히 잘하는 것 하나가 없어서 이 일 저 일을 다 하는 거나, 식당에 메뉴판 음식이 많은 거나 같은 것 아닌가? 그래서 나는 그 직원에게 이렇게 대답했다.

"돈 되는 건 다 한다."

나는 그 말을 하고 나서 무척 부끄러웠다. 리더로서 방향 제시와 비전 제시를 제대로 못했다는 자괴감과 우울증이 밀려왔다. 어떤 것이든 잘되는 것이 한 가지 있었다면 부서별로 전문성을 두고 일했을 것이다. 작은 기업들이 일반적으로 업무 스펙트럼이 넓긴 하지만, 굿마이크는 너무 넓었던 것이다. 그 옛날 드라마 〈한 지붕 세 가족〉의 못 고치는 게 없던 순돌이 아빠 같은 역할을 하고 있었다.

그러나 대박집 음식은 단품인 곳이 많은 것처럼, 이제는 우리 굿마이크도 심플해졌다. 토털 문화 플랫폼. 교육, 문화, 모임, 이벤트, 전시, 콘서트, 이런 것들을 필요로 하는 사람들이 찾아오는 플랫폼 회사가 되었다. 여러 가지 재주를, 여러 가지 스펙을 쌓으려고 노력하기보다 내가 잘하는 한 가지에 치중하는 것이 개인이든 회사든 성장하기엔 좋다.

군인들이 읽는 신문에 다음과 같은 칼럼을 실었다.

어느 날 모 대기업 회장님과 차를 마시는 자리였다.

"자네, 고스톱 칠 줄 아나?"

"…"

"고스톱 용어 중에 광박과 피박이라는 것이 있는데 그 의미가 뭔지 알고 있나?"

나는 사실 좀 당황했다. 왜 내게 이런 질문을 하시는 걸까? 나는 아무 말 없이 회장님의 눈치를 살피며 기다렸다.

어렸을 때 어른들이 고스톱 치는 것을 보면서 속으로 참 한심하다는 생각을 한 적이 있다. 또 그 옆에서 "비 먹어", "광 먹어" 하면서 훈수 두는 사람은 더 한심해 보였던 게 사실이고, 나는 어른이 되면 저

러지 말아야지 다짐했었는데, 막상 성인이 되니 가끔 명절에 한두 번 치게 되는 상황이 생겼다. 그때마다 이런 걸 왜 하는지 이해하지 못하고 있었다. 솔직히 고스톱과 관련된 용어들이 좀 고급스럽지 못하거나 언어들이 그다지 아름답지 않은 것도 사실이다. 내가 생각하는 고스톱의 이미지는 이 정도인데 회장님은 내게 고스톱 용어를 왜 물어보는 것일까?

일단 '광박', '피박'의 용어 정리부터 해야 할 것 같다.

광박: 다섯 가지 광 중 하나도 못 가져오면 바가지를 쓴다 해서 '광박'이라는 용어가 있다.

피박: 피를 못 가져오면 '피박'이라고 해서 돈을 두 배로 잃는 게임 용어다.

아무 말 없는 나를 바라보시면서 계속 말씀을 이어가신다.

"광은 내 인생에서 나만의 강력한 무기를 뜻하는 것인데, 과연 나는 나만의 강력한 무기가 있는가? 그 무기가 하나 정도는 있어야 인생을 사는 데 어려움을 겪지 않는다는 뜻이고, 고스톱의 피처럼 하찮은 것이라도 소중하게 대해야 한다는 의미에서 하찮은 것을 가벼이 여기면 피박을 쓴다는 것인데, 나는 과연 내 주변에서 하찮다고 느낀 사람에게 함부로 대한 적은 없는가 반성하라는 뜻이 있다네."

나는 생각했다. '나 이런 거 잘합니다. 이런 것은 제가 제일 잘합니다'라고 할 수 있는 것이 과연 있는가? 혹시 나보다 좀 못하다고 여겨지는 사람을 무시한 적은 없는가? 전자는 없고 후자는 있다는 생각이 들었다. '나 이런 거 잘합니다'의 광은 없지만 나보다 못한 사람을 은근히 무시한 적은 있는 것이다. 그동안 살면서 힘든 세상을 살아가는 데 필요한 무기인 내 인생의 '광' 하나 만들지 못했다는 생각에 마음이 무거워졌다.

여러분은 나만이 가진 '광'이 있는가? 없다면 만들어야 한다. 어렵고 힘든 세상에 위험이 닥쳐올 때를 대비해서 나만의 무기인 '광'을 만들어야 한다. '광' 하나 차고 있으면 참 든든하지 않을까?

지금 '광'이 없다면 죄가 아니지만 이 글을 읽고 몇 년 뒤에도 광이 없다면 그것은 죄일 수 있다. 병영 생활은 바로 이런 광 하나를 만드는 준비단계일 수 있다. 달리기에서도 준비자세가 좋은 선수가 잘 달리듯 내 인생에 광을 만드는 준비를 하기 바란다. 내 인생의 광을 위하여 파이팅!

이것저것 기웃거리는 것보다는 자신이 제대로 잘 해낼 수 있는 특장점을 지녀야 한다. '열 가지 재주 가진 놈이 밥 굶는다', '열 가지 재주 가진 놈이 제대로 못한다'라는 말이 있다. 재주가 많으면 이것저것 해보다가 결국 자신만의 장점과 전문성을 갖지 못한다. 할 줄 아는 것은 많은데 제대로 해내는 것은 없게 되는 것이다. 재주가 많은 사람은 잘하는 것이 많아서 한 가지에 집중하지 못한다. 여러 분야에 관심이 많고 두각을 나타내기 때문에 한 분야를 파고들어 전문성을 갖추지 못하게 된다.

사회가 급변하고 지식의 반감기는 점차 짧아지므로 평생교육과

재교육이 필요하지만, 그것으로 업을 삼으려면 여러 가지를 얕게 배우는 것은 필요가 없다. 경영학의 대가인 피터 드러커(Peter Drucker)는 "기업이든 개인이든 성공하려면 가장 잘할 수 있는 분야 혹은 반드시 해야 하는 가장 중요한 일에 85%의 시간과 에너지를, 10%는 좀 더 새롭게 배워야 할 분야에, 그리고 나머지 5%는 가장 약한 분야에 사용해야 한다"고 했다. 자신이 가장 잘할 수 있는 분야를 선택하고, 선택한 분야에 집중해서 전문성을 키워야 한다.

기업에서 필요로 하는 것은 그 일을 제대로 해내는 사람이지, 그 일에 대해 대충 알고 있는 사람이 아니다. 한 가지 일을 잘 해내지 못하면 다른 일도 잘하기란 쉽지 않은 것이기에 우리는 각자의 킬러 콘텐츠가 필요하다. 나의 무기는 무엇인가? '이것만큼은 내가 최고야'라고 자신만만한 분야가 없다면, 지금이라도 한 가지를 선택해서 자신의 특장점, 나만의 무기로 삼아야 한다.

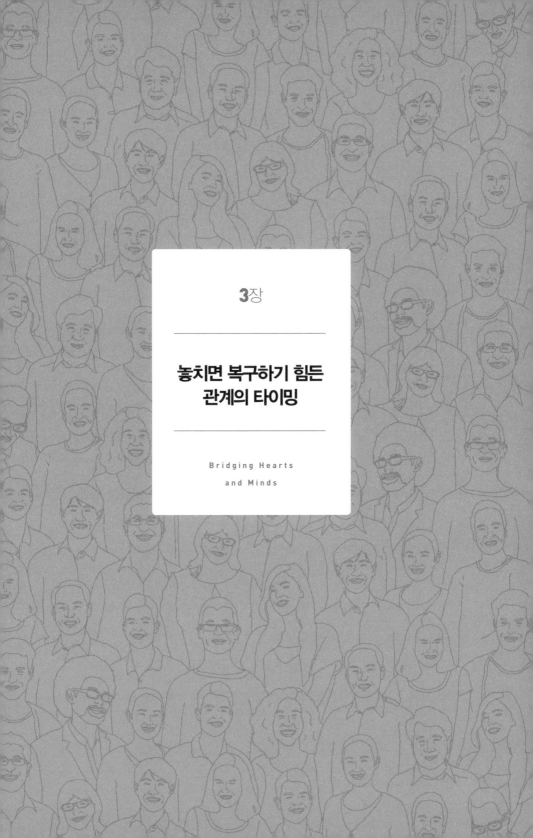

3장

놓치면 복구하기 힘든
관계의 타이밍

Bridging Hearts
and Minds

인간관계에도
골든타임이 있다

　재난 발생 시 인명을 구조하는 데 가장 중요한 초반의 시간을 골든타임이라고 한다. 지진이 났을 경우에는 이틀 안에 구조되지 않으면 산소나 물 부족으로 사망확률이 높아지기 때문에 48시간 안에 구조해야 한다. 화재가 났을 경우에는 5분 이내에 진압해야 하고, 비행기에서 비상상황이 발생하면 90초 내에 승객들을 탈출시켜야 한다. 그런가 하면 비행기가 뜰 때 3분, 착륙할 때 8분이 사고가 날 위험이 가장 많은 시간대라 하여 '마의 11분'이라고 한다. 전체 항공사고의 74%가 마의 11분에 일어났다.

　이렇게 촌각을 다투는 재난구조뿐 아니라 인간관계에도 골든타임이 있다. 인간관계에서의 골든타임은 상대의 감정에 공감했을 때 상대방 역시 나의 감정을 받아들여 서로 소통이 되는 시간이라고 할 수 있다. 예를 들어 상대방이 나 때문에 화가 났을 때는 즉시 풀어주어야 한다. 화를 풀어주는 골든타임은 '그 즉시'인 것이다. 화를 풀어줄 수 있는 골든타임을 놓치게 되면 상대방의 마음이 굳어버리거나 화병 또는 우울증이 생길 수도 있다. 누군가에게 고마울 때 역시 마찬가지다. 적어도 2~3일 내에 고마움을 표시하거나 작은 선물이라도 하는 것이 좋다. 인간관계에서 골든타임을 놓치면, 이를 회복하기 위해 몇 배 더 노력해야 하거나 아니면 영원히 돌이킬 수 없을 만큼 사이가 벌어지게 된다.

인간관계의 골든타임을 놓치고 나면 후회하며 살아가게 된다. 한 여론조사에서 지금까지 살아오면서 어떤 것이 후회되는지 물었더니 40대 남녀의 대답 중에 특이한 것이 있었다. 남자는 '그 여자 잡을걸', 여자는 '그 사람이랑 결혼할 걸'이란 대답이 나온 것이다. 한때 사랑했던 사람과 헤어지고 다른 사람과 살아보니 옛 사람이 생각난 것일까? 아니면 그 사람에 대한 아쉬움인가? 아니면 지금 사는 사람에 대한 불만인가?

어쨌든 두고두고 미련이 남는 이런 후회를 '해보지 않은 것에 대한 아쉬움' 정도로 치부하자. 나는 이것을 인간관계에서 진심을 말하는 골든타임을 놓친 것이라고 본다. 사랑하는 사람에게 청혼하지 못하고 떠나보낸 것에 대해 미련이 남는 것, 이것은 청혼의 골든타임을 놓친 것이다. 청혼에도 골든타임, 즉 타이밍이 있는 것이다

꼭 청혼이 아니더라도 인간관계에서는 어떤 말을 해야 할 타이밍이 있다. 그 말을 해야 할 타이밍을 놓치면 예상치 못했던 고민거리

를 떠안게 된다. 맺고 끊는 것을 잘 못하는 나도 말할 타이밍을 놓치고 나서 후회하는 경우가 많다. 하루는 지인이 찾아와서 돈을 빌려달라고 부탁했다. 큰돈이 아니라 사회활동에 필요한 정도의, 생활비 명목의 금액이었다. 그 사람이 그런 부탁을 할 때마다 몇 번 그냥 빌려주었는데, 또 돈을 빌려달라고 부탁하는 것이다.

그간 빌려준 돈도 돌려받지 못했기 때문에 더 이상 빌려주고 싶지 않았지만, 거절하기도 미안하고 안 빌려주기도 매몰찬 것 같아서 생각해보자고 애매한 대답을 했다. 그러자 그 사람은 다음 날부터 매일 전화해서 '언제까지 되느냐', '준비되면 연락해달라'며 채근하기 시작했다. 어느새 내가 빚쟁이가 된 것이다. 나는 더 이상 빌려주기 싫었는데 애매하게 대답해서 그 사람에게 여지를 준 것이다. 매몰차게 자르지 못하는 성격 때문에 생각해보자고 한 것이 잘못이었다. 거절할 수 있는 타이밍, 골든타임을 놓친 것이다.

거절의 골든타임을 놓치고 시간이 더 지나자 그 친구와의 관계는 점점 더 이상하게 틀어졌다. 그 친구 입장에서 보면 나는 돈을 빌려주지도 않으면서 시간을 질질 끈 죄인이 되는데, 차라리 처음부터 나도 금전적으로 어려우니 빌려주기 힘들다고 거절의 의사를 분명히 했다면 그 친구와의 관계는 틀어지지 않았을 것이다. 내 생각을 상대방에게 정확히 말하지 않음으로써 상대로 하여금 착각하게 하는 것도 인간관계에서 조심해야 할 것 중 하나다.

인간관계에서 절대 놓쳐선 안 될 것 중 하나는 사과의 골든타임이다. 생각해보면 큰 잘못이 아니더라도 사과해야 할 일이 하루에도 몇 번씩 생긴다. 약속시간에 늦었다거나, 약속된 시간에 일을 끝내지 못했다거나, 지나가는 사람과 어깨가 부딪쳤다거나, 배우자의 기념일을 챙기지 못했다거나, 상대방의 감정이 상한 것을 알아채지 못했다거나…. 생각지도 않게, 또 본의 아니게 우리는 사과할 일들과 자주 마주치게 된다.

내가 잘못했건 실수했건, 일단 사과할 일이 생기면 번개보다 빠른 속도로 사과하는 것이 좋다. 우리는 보통 상대가 쿨하게 사과하면 용서해줄 뿐만 아니라 그를 위해 더 해줄 것이 없는지 고민하게 되는 아이러니한 성격을 지니고 있다. 강조하건대 사과는 '즉시' 해야 한다. '나중에 만나면 사과하지 뭐'라고 생각하는 것은 이미 골든타임을 놓친 것이다.

사과는 타이밍도 중요하지만, 사과할 때는 변명과 분명히 구분해야 한다. 사과하는 사람의 가장 큰 오류가 변명했으면서 사과했다고 착각하는 것이다. "왜 이렇게 늦었니?"라고 물으면 "죄송합니다, 늦었습니다" 하면 되는 것을 "차가 좀 늦게 와서요"라고 말한다. 이것은 변명인데, 이렇게 말한 걸로 본인은 사과했다고 생각한다. "길이 막혀서요." 이것 역시 변명이지 사과가 아니다.

사람은 누구나 실수할 수 있다. 좋은 사람들도 때로는 나쁜 선택을 할 때가 있다. 그것은 실수하는 사람이 꼭 나쁜 사람은 아니라는 것이다. 실수한다는 것은 그들도 인간이라는 것을 의미하며, 그런 실수가 그의 전부를 말하는 것은 아니다. 그러나 실수했을 때 그것을 덮으려 한다면, 실수보다 더 큰 실수를 하게 되면서 나쁜 사람으로 전락할 수도 있다.

몇 년 전 KBS에서 매일 아침 생방송을 진행한 적이 있다. 어느 날 생방송 30분 전에 방송국 앞에서 교통사고가 났다. 신호등에 서 있는 내 차를 다른 차가 와서 들이받은 것이다. 그래서 내가 "가만히 서 있는 차를 받으면 어떡합니까?"라고 했더니 그 사람이 "뒤에서 볼 때 내 차가 갈 듯 말 듯 서 있어서 가는 줄 알고 진행하다가 받았어요" 하는 것이었다.

가만히 서 있는 차를 뒤에서 들이받아 사고를 냈으면 사과부터 해야 하지 않을까? 그래서 내가 그분에게 "핑계 대지 말고 정확히 사과하세요" 했더니 이분이 바로 사과했다.

"죄송합니다. 아침 일찍부터 너무 죄송합니다. 제가 받았습니다."

그래서 나는 "그럼 됐습니다. 사과했으니 그냥 가세요" 하고 보냈다. 내 차가 좀 찌그러졌고, 갑자기 차를 들이받는 바람에 근육이 놀라서 몸도 아팠다. 하지만 그녀가 정확히 사과했기 때문에 그냥 보낸 것이다.

그랬더니 그분이 그날 아침 방송국 게시판에 글을 썼다.

"오늘 새벽에 방송인 표영호 씨와 교통사고가 난 ○○○입니다. 이러이러한 일이 있었는데 표영호 씨가 나를 그냥 보내주어서 하루 일과를 기분 나쁘게 시작하지 않았습니다. 표영호 씨에게 감사를 전합니다. 고마웠습니다."

그 차를 운전한 사람은 중학생 학부모였다. 중학생 아이가 새벽부터 학원에 공부하러 가는 길이었다고 했다. 그 학부모가 게시판에 글을 올렸기 때문에, 표영호가 교통사고를 당했음에도 불구하고 사고 낸 사람을 돌려보냈다는 이야기가 방송국에 소문이 났다. 국장이 나를 오라고 부르더니 '표영호 쿨한 남자'라고 칭찬했다.

사실 내 입장에서는 내가 그분에게 책임을 묻지 않은 게 잘한 것이 아니라, 그분이 쿨하게 자기 잘못을 인정한 게 잘한 것이다. 사과는 골든타임이 중요하다. 내가 잘못한 것을 인지한 그 순간에 사과하는 것이 바로 골든타임이다. 바람에 굽히는 나무는 잔가지까지도 구해낼 수 있지만, 숙일 줄 모르는 나무는 뿌리까지 바람에 쓰러진다.

인간관계에서 골든타임이 언제일까? 강연장에서 받은 많은 질문 중에 가장 빈번한 것 세 가지를 소개한다.

첫 번째, 부부싸움 후 화해의 골든타임은 언제일까?

부부싸움을 했을 때는 싸운 날 밤 잠들기 전까지가 골든타임이다. 그날 싸운 것은 그날 푸는 것이 좋다. 만약에 싸운 날 오후에 지방이나 해외로 출장을 가게 되어 같은 잠자리에 들지 못한다면, 출장지에서 잠들기 전에 사과의 문자를 보내는 것이 좋다. 역시 싸운 내용을 하나하나 짚어가며 시시콜콜하게 사과하는 것보다 "너의 마음을 헤아리지 못해서 미안해. 사랑해"라고 하는 것이 좋다.

두 번째, 고마움의 표시는 언제 하는 것이 좋을까?

고마움의 표시는 고마움을 느낀 그 즉시 하는 것이 좋다. 고맙거나 미안할 때는 인지한 그 즉시가 골든타임이다. '나중에 얼굴 보면

그때 인사하지 뭐', 이런 마인드는 골든타임을 놓쳐서 오히려 독이
된다.

세 번째, 직장 후배를 야단치고 난 다음 언제쯤 미안한 마음을 표
현해야 할까?

역시 야단을 친 직후가 좋다. 화가 가라앉질 않았겠지만, 그럼에도
불구하고 마음의 상처를 줄여준다는 의미에서 즉시 하는 것이 좋다.
"화를 내서 미안해"라는 식의 표현이 좋다.

인간관계의 골든타임을 인지할 수 있는 것은 능력이 아니라 노력
이다. 골든타임이 언제인지 알면서도 노력하지 않는 것은 아집으로
가득차고 문제해결력이 떨어지는 사람이다.

좋은 사람,
심봤다!

·

좋은 것을 보고 외치는 말 중에 우리가 가장 익숙하게 알고 있는 것은 아마 '심봤다'일 것이다. 산삼은 값도 비싸고 눈에도 잘 띄지 않는 귀한 것이어서, 심마니들은 산삼을 캐러 가기 전에 근신하면서 몸을 정갈하게 하고 부정한 것을 멀리하며 가급적이면 말도 하지 않았다고 한다.

심마니들이 산삼을 발견하면 '심봤다'라고 세 번 외치면서 절을 했다. 산삼을 발견한 심마니가 '심봤다'를 외치면, 이 소리를 들은 다른 심마니들은 그 자리에 앉아야 했다. 먼저 '심봤다'를 외친 사람에게 우선권이 있기 때문이다. 사람들이 농사를 짓거나 씨를 뿌려서 얻는 인삼이나 산양산삼과 달리 야생 자연산 산삼은 오래된 것일 경우 부르는 것이 값이다. 그러니 심마니들이 산에 가서 산삼을 발견하고

'심봤다'를 외칠 때는 얼마나 기쁘고 행복하겠는가?

사람들 속에서 생활하다 보면 가끔 '심봤다'를 외치고 싶은 멋진 사람들을 만날 때가 있다. 내가 만난 '심봤다'를 외치고 싶은 사람 중 하나가 바로 유재석이다.

유재석은 나보다 어리지만 데뷔한 것은 1991년도로 나보다 훨씬 빠르다. 상당 기간 무명시절을 거쳐서 2000년대 초반부터는 꾸준한 인기를 누리고 있다. '유느님'이라는 말이 공공연할 정도니 번 돈도 많고 인기도 대한민국 최고여서 아무리 좋은 외제차를 타고 다녀도 누구도 뭐라 하지 않을 것이다.

10년 전, 유재석과 만난 후 집에 들어갔는데 전화가 왔다. 차를 바꾸고 싶은데 국산차 중에서 최고가 아닌 적당한 수준의 차를 사고 싶다는 것이었다. 유재석 정도의 인기와 돈이라면 그보다 훨씬 좋은 차를 사도 될 것 같아서 "야, 너 정도 인기면 외제차 타라"고 권했다. 그런데도 적당한 국산차를 사겠다며 차에 관한 이야기를 새벽 3시까지 하다가 전화를 끊었다. 전화를 끊고 나서 가만 생각하니까 재석이가 너무 착했다. 그래서 내 싸이월드 미니홈피에 글을 하나 올렸다.

요즘 가장 잘나가는 놈이다. 근데 오늘 고민하면서 전화가 왔다.
○○○ 새로 나온 거 사고 싶다고.
그 정도의 인기와 부를 누리면 남들은 벤츠나 BMW 타려고 혈안일 텐데 참으로 겉과 속이 똑같은 놈이다. 지금 차도 ○○○인데 오래

탔다.

동생이지만 대견하다. 보통 우린(연예인) 조금만 상황이 좋아져도 좋은 차 멋진 차로 과시하고 싶어 한다. 그에겐 그게 없다. 뜨기 전이나 뜬 후나 유재석은 똑같다.

비단 이 일뿐만이 아니라 매사의 모든 면에서 그렇다.

유재석, 외국의 경우처럼 10~20년 롱런하는 개그맨 1호가 되라, 자니 카슨(Johnny Carson) 같은.

겉으로 말해 놓고 속으론 딴 생각하는 거, 그게 요즘 뜬 사람들인데 인간 냄새가 물씬 풍기는 사람을 오랜만에 봤다. 심봤다~~~!

참으로 대견하고 자랑스럽다.

당황스럽게도 이 글을 올리자 순간 접속수가 30만 명이 넘어갔다. 난리가 났다. 그리고 네티즌들이 나를 칭찬하기 시작했다. '동생을 칭찬하는 표영호', '좋은 사람을 알아보는 표영호는 더 좋은 사람'이라며 처음에는 칭찬을 많이 들었다. 화제가 되려고 올린 글이 아니라 그야말로 사람을 보고 '심봤다'는 느낌을 오랜만에 느껴서 올린 글인데, 엉뚱하게 주목을 받게 된 것이다. 하지만 사람들에게 칭찬받는 게 기분 나쁘지는 않았다.

그러다가 1년쯤 지나자 상황이 바뀌었다. 처음에는 칭찬하던 사람들이 나를 비난하기 시작한 것이다. 유재석이 표영호 때문에 외제차를 못 타고 다닌다는 것이었다. 이미지가 그렇게 되어버렸으니, 아무리 외제차를 타고 싶어도 어떻게 좋은 차를 탈 수 있겠냐는 것이다.

그래서 '지능형 안티다', '표영호 나쁜 놈', '우리 유느님을 좋은 차 못 타게 만든 사람' 등 갖가지 욕을 먹게 되었다. 물론 유재석 본인과는 아무런 상관없이, 사람들이 유재석을 너무 좋아하다 보니 벌어진 일이었다.

내가 지금까지 본 유재석은 자기 스스로 출연료를 올려달라고 한 적이 없는 가장 몸값이 비싼 MC다. 유재석의 몸값이 다른 사람들보다 훨씬 비싸기는 하지만 그것은 방송사에서 알아서 올려준 것일 뿐, 본인이 요구한 적이 없다. 몇몇 MC들은 게스트 몇 명을 자르고라도 자신의 몸값을 더 달라고 하는 이도 있는데, 유재석은 그렇지 않았다. 그는 처음에 세팅되었던 게스트 수를 자르지 말라고 한다. 대신 우리가 열심히 해서 시청률 올라가고 광고 많이 붙으면 그때 올려달라고 한다. 그가 그렇게 말하고 행동하는 것을 내 눈으로 직접 보았다. 그런 것 때문에 유재석에 대한 좋은 감정을 갖고 있다가 글을 쓴 것이다. 산삼 캐는 심마니들이 산삼을 보고 외치듯, 연예인 중에 정말 '심봤다'를 외칠 수 있는 사람이 바로 유재석이다.

그래서 나는 '유재석처럼 하라'는 내용의 소통 강의를 한 적도 있다. 소통이라는 것은 대화를 많이 나눈다고 해서 되는 것이 아니다. 주변에서 발이 넓고 아는 사람이 많은 사람을 보면 남들을 배려하는 마음이 두드러진다. 그런데 우리들은 누군가를 위해서 진심으로 배려한 적이 있는가? 예를 들어 남녀가 데이트할 때도 "뭐 먹을까?" 하고 물어만 보고 상대방이 분명한 의사표시를 하지 않으면 자기 마음대로 결정해버린다. "냉면 먹고 싶어"라고 분명한 의사표시를 했을 때도 "추운데 무슨 냉면을 먹어. 따뜻한 거 먹으러 가자"면서 무시해버리기도 한다. 그러면 상대방은 속으로 '이렇게 독재자처럼 행동할 거면서 왜 내 의사는 물어보지?' 하고 속으로 삐지고, 다음에 또 물어보면 '결국 자기 마음대로 할 거면서' 하고 처음부터 별다른 의사표시를 하지 않을 것이다. 상대방은 분명 속으로 불통 상태인데도 불구하고, 주동적인 행동을 하는 사람은 소통했다고 생각한다.

방송 밖에서도 그렇게 '심봤다'고 말할 수 있는 사람이 있다. 굿마이크를 설립하고 교육과정을 만든 후의 일이다. 정원 20명의 수강생을 모집하는데 10명밖에 등록을 안 해서 개강할 수가 없었다. 그래서 등록한 10명에게 전화를 했다.

"미안합니다. 이번에는 개강할 수 없게 되었습니다. 두 달 후에 다시 개강할 것이고, 수강료를 돌려드리겠습니다."

회사에 돈이 없어서 돌려주지 못할 형편이었는데도 이렇게 사과하면서 어찌어찌 해서 8명에게 수강료를 되돌려주었다. 그렇게 돌려주다 보니 회사에 돈이 한 푼도 없었다. 2명이 남았는데 그분들에게 돌려줄 돈이 없어서 난감하던 차에 그 두 명이 나를 찾아왔다. 그리고 이렇게 말했다.

"대표님, 두 달 뒤에 개강할 거면 돌려주지 마세요. 저는 대표님을 믿습니다."

나는 두 사람 모두 굿마이크 수강생을 모집하면서 처음 알게 된 사람들이었다. 당시 뉴스에는 연예인들이 사기에 연루되는 일들이 꽤 나왔는데, 생전 처음 본 두 사람이 나를 믿어준다는 것은 정말 감동이었다. 더구나 그때 남은 두 사람에게까지 수강료를 되돌려주고 나면 회사 문을 닫아야 할 처지였다. 차마 그 말은 하지 못하고 있었는데, 그 사람들이 돌려주지 않아도 된다고 한 것이다. 고백하건대 그때 두 사람 수강료 덕분에 회사가 망하지 않고 버틸 수 있었다.

그 사람들도 돈에 여유가 있었던 것은 아니었다. 한 분은 지방의 작은 도시 문화센터에서 강의하는 강사였고, 심지어는 경제적으로 넉넉하지 않아서 아이를 어떻게 키워야 될지 모르겠다며 울던 여자다. 정말 돈이 없는 사람들이었는데 나에게 나중에라도 교육을 받겠다고 돈을 돌려받지 않고 나를 믿어준 것이다. 그때 얼마나 고마웠는지 모른다. 방송할 때 '심봤다'고 느꼈던 유재석을 보는 느낌이 그때 다시 들었다. 시간이 지나 이분들에게 그때 일을 물어본 적이 있다.

"그때 뭘 믿고 수강료를 안 돌려줘도 된다고 그랬어요? 회사 문 닫고 잠적하면 어쩌려고."

그랬더니 대답이 이랬다.

"대표님은 절대 안 그럴 것 같았어요. 눈빛이 되게 진실했거든요."

그 사람들이 넉넉하지 않은 형편임에도 불구하고 나를 신뢰해준 것은 내가 강의를 하고 회사를 끌고 나가는 원동력이 되었다. 이후에도 사업하면서 좋은 분들을 많이 만났다. 가끔 힘들어서 차라리 회사를 접고 싶다는 생각이 들 때마다 그분들이 나를 지탱해주었다.

이렇게 나를 믿어주고 신뢰하는 사람들이 있는데 어떻게 힘들다고 포기하는가? 그분들이 내 인생에서 '심봤다'를 외치게 해준 사람인 것처럼, 나도 누군가에게 '심봤다'를 외칠 수 있는 그런 사람이었으면 한다.

나는 과연 다른 사람에게 좋은 사람일까? 한동안 내 주변에 사람이 없다고 불평한 적이 많았다. 하지만 그것은 나를 욕하는 것이었다. 힘든 상황에서도 주변에 사람이 많다는 것은 책임감 있고, 비전 있고, 돈을 제대로 쓸 줄 알고, 남을 배려할 줄 알고, 다른 사람의 마음을 편하게 다독여줄 줄 알고, 다른 사람에게 쉼터 같은 사람이 될 줄 안다는 것이다. 내 주변에 사람이 없다는 것은 내가 이런 사람이 되지 못했음이니, 그것은 어디까지나 내 탓인 것이다.

나를 좋아해주는, 그래서 내 일이라면 힘든 일이든 축하할 일이든 한걸음에 달려와 줄 사람이 있는가? 있다면 당신은 정말 좋은 사람이고 행복한 사람이다.

내 편을 만드는
다섯 가지 방법

.

살다 보면 우리는 내 편이 없어서 외롭고 자괴감이 드는 경우가 많다. 단순한 친구 관계에서도 내 편이 필요하고, 회사나 조직에서도 내 편이 있어야 한다. 회사에 가면 아무 이유 없이 나에게 쌀쌀맞게 구는 동료나 상사, 부하직원이 있기 마련이다. 어떤 직원은 차라리 그만두면 좋을 거 같은 골치 아픈 사람도 있다. 그뿐인가? 일을 시키면서 "이번엔 똑바로 해!" 하며 마치 그전에 내가 했던 모든 일들을 제대로 하지 못한 것으로 치부하는 상사도 있다.

이런 것들이 내 편이 아닌 사람들 때문에 생기는 불편사항이다. 나를 믿어주는 내 편이 많아지면, 나를 힘들게 하는 사람들을 대하느라 몸이 바쁘더라도 마음만큼은 좀 더 평화로워질 수 있다. 그렇다면 어떻게 해야 사회생활을 하면서 내 편을 많이 만들 수 있을까? 내 편을 만드는 방법을 다섯 가지로 정리해보았다.

첫 번째, 먼저 상대에게 호감을 표시해야 한다.

먼저 호감을 표시하는 행동은 상대로 하여금 마음의 문을 빨리 열게 한다. 내가 방송국에 있을 때 괜히 나를 싫어하는 국장이 있었다. 엘리베이터에서 만나면 "너 어제 방송 나오는 것 잘 봤어" 하고 비꼬는 투로 말했다. 당시에 나는 방송 프로그램에 출연하지 못하고 아이디어 회의만 매일 하고 있었다.

그뿐이 아니었다. "영호, 너는 얼굴이 비호감이야"라고 말한 날도 있고, "수술하고 와"라며 나를 대놓고 디스하는 날도 있었다. 그 국장과 나는 일면식도 없고 대화해보지도 않은, 잘 모르는 사이였다. 그런데 나를 싫어하니까 고민이 안 될 수가 없었다. '저 국장은 왜 나를 싫어할까? 나는 저 사람한테 잘못한 것도 없고 저 사람과 연관된 것도 없는데.'

가끔 괜히 싫은 사람, 주는 것 없이 미운 사람이 있다. 그 사람한테는 내가 그런 사람인 모양이었다. 그런 일이 반복되자 나도 그 국장이 재수 없어서 웬만하면 안 마주치려고 국장이 보이면 다른 곳으로 빙 돌아서 다녔다. 그러던 어느 날 생각을 해봤다. 내가 비겁하게 느껴지고 불편한 것이다. 그 사람은 방송국 국장이므로 어쩌면 나에게는 '갑'인 사람인데, 그가 나를 싫어한다고 나도 굳이 그를 싫어할 필요가 있겠는가?

그래서 그다음에 엘리베이터에서 만났을 때는 무표정한 얼굴이나 삐진 얼굴이 아니라 해맑게 웃으며 인사했다. 별다른 반응이 없었지만 그렇게 1년을 했다. '쟤 바보 아니야?' 할 정도로 해맑게 웃었다. 마치 좋은 일이 없다가도 그 사람을 만나면 기분이 좋다는 듯이.

그렇게 1년이 지나자 이 사람이 나에게 조금씩 호감을 보이기 시작했다. "방송하는 데 힘들지는 않니?" "영호, 너는 진행자 역할을 하면 참 잘할 거야. 넌 진행자 스타일이야." 그러면서 나에게 도움이 되는 좋은 어드바이스, 긍정적인 어드바이스를 하기 시작한 것이다.

내가 먼저 상대방에게 '당신에게 호감 있어요'라는 제스처를 보여주니까 그 사람도 닫혀 있던 마음을 열고 괜히 미웠던 내가 왠지 모르게 좋아졌을 것 같다. 그 이후 그 국장과 〈노브레인 서바이버〉라는 프로그램을 2년 반 동안 같이하고 히트를 쳤다. 그분은 지금 모 지역방송의 사장으로 일하고 있다.

상대에게 먼저 호감을 표시하라. 내 편이 아니었던 사람까지 내 편으로 만드는 비결 중 하나는, 내가 먼저 호감을 표시하는 것이다. 상대에게 호감을 표시할 때는 '나는 당신이 참 좋아요', '나는 당신을 믿어요'라는 태도여야 한다. 그걸 그 사람이 나에게 호감을 가져줄 때까지 오랫동안 유지해야 한다. 쉽지 않지만 그렇게라도 해서 적이 아니라 내 편을 많이 만들어야 잘 살아갈 수 있다.

두 번째, 상대를 바꾸려고 하지 말라.

방송국에서 후배들과 함께 아이디어 회의를 주재할 때 보니, 재능은 있는데 아이디어를 안 내는 사람이 있었다. 그뿐만 아니라 돌아가면서 간식이나 밥을 살 때도 한 번도 돈을 낸 적이 없어서 주변 동료들에게 핀잔을 많이 받았다. 그래서 아이디어 회의를 같이하는 동안 그 친구에게 훈계를 했다. "아이디어를 미리, 하루 전에라도 생각해 와라." "세 번 얻어먹으면 한 번은 네가 사라." 재능은 있는데 안 되니까 그 친구가 바뀌었으면 좋겠기에, 잘 되게 하려고 그런 것이다.

그런데 그 친구가 바뀌는 게 아니라 나를 멀리하기 시작했다. 내가 그렇게 그 친구를 많이 도와줬음에도 불구하고 그 친구는 밖에 나가면 내 욕을 했다. 그 일로 나도 깨달은 바가 있었다. 나 자신도 바꾸기 힘든데 수십 년 동안 자신의 주관대로 살아온 사람을 타인이 어떻게 바꾸겠는가? 부모가 자식을 바꾸려고 해도 잘 안 되는 법인데, 하물며 사회에서 알게 된 선배가 후배를 어떻게 바꾸겠는가? 내가 잘못한 것이었다. 한두 번 조언을 하는 것은 몰라도 그를 바꾸려고 계속 훈계한 것은 도를 넘은 것이었다.

남녀 간에 사귀다가 헤어지는 원인 중 하나가 성격 차이다. 나의 기준에 맞춰서 상대를 자꾸 바꾸려고 해서 헤어진다. 연인들은 '옷을 단정하게 입어라', '집에 일찍 들어가라', '어제는 뭐 했니', '거짓말하지 마' 같은 말들로 상대를 바꾸려 하지만, 결국은 바뀌지 않고 헤어진다. 상대를 바꾸려 하지 말고 포용해야 내 편을 만들 수 있다.

세 번째, 상대를 나보다 먼저 배려하라.

어떤 커뮤니티 사이트에 올라온 글 중 재밌는 글이 있었다. 남편을 내 편으로 만드는 세 단계 방법이라는 글인데, 그 세 단계란 바로 '먹인다', '재운다', '가만히 내버려둔다'였다. 웃기는 말이긴 하지만 일리가 있는 것이다. 힘들게 일했을 남편, 회사 일로 골치 아플 남편, 이런 남편을 가만히 두는 것도 배려다. 이 세 단계의 공통점은 편하게 해준다는 것이다.

드라마나 영화에서는 추운 겨울에 웃옷을 벗어주는 장면이 많이 나온다. 본인도 추운데 "나는 괜찮아" 하면서 벗어주는 장면, 예나 지금이나 변함없다. 그 장면에서 여자는 그 남자를 급격하게 좋아하는 표정을 짓는다. '이 남자가 나를 이렇게 배려하는구나' 또는 '나에게 잘하려고 애쓰는구나'라는 걸 느끼기 때문에 이 남자가 급격하게 좋아지는 것이다.

또 남을 배려하는 방법 중 하나는 내 이야기를 많이 하기보다 상대의 이야기를 많이 들어주는 것이다. 요즘 여자들이 좋아하는 남자는 내 이야기를 잘 들어주는 남자다. 대대수의 남자들이 불행한 건 여자의 이야기를 잘 들어주지 않아 생기는 갈등에서 비롯된 것이다. 남자들도 마찬가지다. 내 이야기를 들어주지 않는 데서 갈등이 시작된다. 정말 친해지고 가까워지면 그 사람에 대해 잘 안다고 생각해서, 그 사람이 여러 번 반복하는 이야기는 잘 들어주지 않는다. 그런 인내심을 갖고 있지 않다. 두세 번 같은 이야기를 하더라도 마치 처음 듣는 이야기처럼 들어만 줘도 상대는 내 편이 된다.

물론 같은 이야기를 여러 번 들으면 화가 안 날 사람이 없겠지만, 그럼에도 불구하고 그렇게 하는 것이 내 편 만드는 방법이다. 하기 쉬울 것 같은데 생각처럼 쉽지 않은 일이다.

네 번째, 공통점을 찾아라.

사람들이 처음 만났을 때 고향이 같다든지, 학교가 같다든지, 생일이 같은 달이라든지, 혈액형이 같다든지 하는 공통점을 찾으면 반가워한다. 심지어 우리는 여자니까 동지라고 하면서 공통분모를 찾는 사람들도 있다. 공통분모를 찾는다는 것은 친밀감을 갖는 첫 번째 척도가 된다. 그래서 선거에 나오는 후보들이 지역감정을 부추기고 고향이 어디인지, 이런 이야기를 하는 것이다. 공통점을 전혀 못 찾으면 헤어스타일이 같다는 등 이것저것 어떻게든 공통점을 찾아서 대화의 폭을 넓혀야 한다.

내가 아는 중소기업 사장이 있다. 휴대폰 부품을 만드는 중소기업인데, 직원이 400명 정도 있었다. 그런데 노조와 갈등이 있어서 회사가 성장하지 못했다. 업무 협조도 잘 이루어지지 않고 새로운 것을 개발하는 데도 너무 힘들었다. 휴대폰 사업이 주춤하여 회사가 도산 위기로까지 몰릴 수 있는 긴박한 상황일 때도 노조와의 불편한 관계 때문에 실적이 좋지 않았다.

그런데 어느 날 노조원 중에 가장 비협조적인 친구를 만났다. 그 사원과 이야기하다가 "무엇이 불만이야, 잘해보자" 해도 그 사원은 듣는 둥 마는 둥 말로만 "예, 알겠습니다" 해놓고 행동은 달라지지 않았다. 사장은 너무 골치가 아팠다. 그러던 어느 날 그 속 썩이던 사원의 인사기록부를 보니까 중학교 후배였다.

그래서 다시 그 친구를 불렀다.

"너, 나랑 같은 중학교 나왔더라? 나도 그 중학교 나왔다. 내가 네 선배인데 우리 좀 잘해봐야 하지 않겠어?"

그 중학교는 아주 시골에 있는 작은 학교였다. 선배가 회사 사장이라는 것에 대한 자부심이 생기자, 다음 날부터 그 직원의 행동이 100프로 달라졌다고 한다. 노사 갈등으로 비협조적인 사원도 이렇게 공통점을 찾아서 대화하니까 골치 아픈 일이 해결된 것이다.

다섯 번째, 유머를 반드시 가져라.

사람과의 관계에서는 유머를 가져야 한다는 주장을 하는 사람들이 많다. 그만큼 유머는 사람을 내 편으로 만드는 데 가장 큰 무기일 수 있다. 딱딱하고 힘들고 재미없는 업무가 연속되어도, 유머가 있는 사람은 여유 있어 보여 사람들로 하여금 편안한 마음을 갖게 한다. 행동에 여유가 있어 왠지 믿음직스럽다는 것이다.

유머는 절대적 공감을 필요로 한다. 유머를 잘한다는 것은 상대에 대한 이해도가 높다는 것이다. 상대를 이해하지 못하면 유머를 할 수가 없다. 내가 강의할 때도 강의 듣는 구성원을 이해하지 못한 채 유머를 하면 그들은 절대 내 이야기에 귀를 기울이지 않고 웃지도 않는다. 유머를 갖는다는 것은 상대방과 내가 공감을 형성할 수 있는 능력을 보인다는 뜻이기도 하다.

유머가 없고 푸념하거나 남을 헐뜯으면 같이 일할 사람처럼 보이지 않는 것이 인지상정이고, 유머를 즐기면 그만큼 공통의 이해도를 높이는 친근감을 갖게 된다.

미운 사람
죽이는 방법

·

살다 보면 사람이 너무 미워질 때가 있다. 가깝게 지내는 부부나 애인, 친한 친구의 경우에도 마찬가지다. 내 마음을 잘 몰라줘서 서운함을 넘어 미워지기까지 할 때도 있고, 서로가 잘 알게 된 다음부터는 너무 알아서 편안함보다 미운 점이 더 많아질 때도 있다. 사회생활을 하면서 알게 된 동료나 지인들이 약속을 잘 지키지 않거나, 허언을 하거나, 행동이 왠지 나와 조금 다르거나, 내 마음에 들지 않으면 괜히 미워지기 시작한다.

힘들거나 외로울 때 도와줬는데 내가 힘들 때에는 바쁘다는 이유로 도와주지 않고 나 몰라라 할 때에는 그 사람이 밉다. 미운 것을 지나서 원수처럼 안 보는 사이로 바뀌기도 한다. 내가 준 것만큼 그가 주지 않는다고 느낄 때 상대가 미워지는데, 본전 생각이나 보상

심리 같은 것의 일종이다. 내가 손해를 본다고 생각하면 왠지 사람이 미워지기 시작하고, 그렇게 미워지기 시작하면 당분간은 말릴 수가 없다.

강연장에서 강의를 아주 열심히 듣는 여성에게 "남편이 가장 미울 때가 언제입니까?"라고 물었다. 그러자 "퇴근하고 집에 와서 밥 차려달라고 할 때요"라고 대답했다. 밥 차려주는 것은 자기의 의무라기보다 배려라는 것이다. 자기가 하는 배려를 남편은 너무 당연한 듯이 밥을 차려달라고 하는 게 너무 얄밉다는 것이다. 그 옆에 앉아 있는 남편에게 언제 아내가 미운지 물어보니 퇴근하고 집에 왔는데 아내가 TV 드라마에 푹 빠져 있을 때라고 했다. 자기는 밖에서 열심히 힘들게 일하고 들어왔는데 아내는 편히 지내는 것 같아 왠지 밉다는 것이다.

남편은 아내가 밥 차려주는 것은 배려가 아니라 의무라고 생각하고 있지만, 아내는 밥 차려달라고 자신과 결혼한 것은 아니지 않느냐라는 것이다. 또 아내는 'TV도 마음대로 못 보나'라는 반감이 있고, 남편은 '나는 피곤하게 가족을 위해서 일하는데 너희만 편하냐?'라는 푸념이 있다. 이렇게 살을 부비며 사는 부부라고 해도 서로 미워지는 이유는 커다란 것이 아니라 아주 사소한 것에서 출발한다.

그리고 왜 미운지 사람들의 이야기를 들어보면 이유가 상당히 주관적이라는 것을 알 수 있다. 물론 사람이 미운 이유가 객관적일 필요는 없다. 그래서인지 상대방은 자신에게 그런 마음을 갖고 있는지도 모르고 지내는 경우가 많다. 그것은 아주 가까운 사람일수록 굳이 말하지 않아도 알아주길 바라는 나름의 기대가 생기고, 그 기대가 깨질 때 미운 감정이 생기기 때문이다.

강연장에 함께 온 커플에게 언제 상대가 미운지 물었다.

> **나**: 남자친구 미워질 때가 언제에요?
>
> **여자**: 모든 것을 자기 맘대로 정할 때 미워요. 예를 들면 오늘 여기 강의 들으러 올 게 아니었어요. 저는 영화 보러 가자고 했는데 남자친구가 이 강의를 들어야 한다고 해서 왔거든요.
>
> **나**: 그게 그렇게 미워요?
>
> **여자**: 예.
>
> **나**: (남자에게) 왜 여길 오자고 해서 미움을 받아요?
>
> **남자**: 이 친구는 공부나 강의 이런 거 듣는 걸 굉장히 안 좋아해요. 그래서 이 친구도 공부 좀 했으면 좋겠다고 생각했고, 그리고 정신 차리고 세상을 좀 알라고 데리고 온 거죠.
>
> **나**: 싸우려면 나가서 경찰 불러 놓고 싸우시고요, 남자분은 언제 여자친구가 미워져요?
>
> **남자**: 나를 이상한 사람으로 몰아붙일 때 정말 화가 날 정도로 미워요. 자기 생각과 조금이라도 다르면 나를 아주 나쁜 남자 취급을 해요. 그냥 이해해주면 좋은데… 예를 들어 제가 회사의 거래처 사람들과 회식을 했는데 거기엔 거래처 회사의 여직원도 있었어요.

그 여직원분이 단체사진을 찍어서 SNS에 올렸는데 여자랑 왜 술을 마시냐면서 저를 양아치라고 그러는 거예요.

나: 그게 왜 양아치에요?

남자: 그러니까요.

여자: 저는 다른 여자랑 술 마시는 것 자체가 이해가 안 돼요. 회식이라지만 빠져도 되는 회식이잖아요.

두 사람은 만난 지 3년 되었다고 했다. 이 역시 가까운 사이라서 굳이 말로 하지 않아도 알아주길 바라는 기대의 심리에서 벗어난 상대가 마냥 미워지는 것이었다.

법륜 스님의 말씀 중에 이런 이야기가 있다.

내가 산을 좋아하는데
산이 나를 좋아해 주지 않는다고 해서
내가 산을 미워하게 되지는 않지요.

그런데 내가 좋아하는 사람이
나를 좋아해 주지 않으면
나는 그 사람을 미워하게 됩니다.

이것은 내가 그 사람을 사랑했기 때문에

그 사람이 미워지는 것이 아니고,

내가 그 사람에게 사랑을 바라기 때문에

그 사람이 미워지는 것입니다.

내가 산을 좋아하지만 미워하지 않는 것은

산이 나를 좋아해 주기를 바라지 않기 때문인 것처럼,

내가 상대에게 바라는 게 없으면

나도 상대를 미워하지 않습니다.

바라고 기대하는 마음이 아예 없을 수는 없지만 그래도 상대가 왜 미운지, 내가 바라는 것은 무엇인지를 생각해보고 오히려 그것을 조금 줄여보면 미움도 많이 줄어들 것이다.

상대방을 얍삽하다고 느끼면 꼴도 보기 싫어지던 시절이 있었다. 내가 말하는 얍삽함이란 본인의 이익은 소중하지만 남의 이익엔 관심이 없고, 사소한 스케줄이라도 자기 것은 중요하지만 상대의 큰 스케줄은 중요하지 않게 생각하는 것이다. 이른바 자기 위주의 사람을 나는 대체적으로 미워하는 것 같다. 이기적인 생각보다는 이기적인 행동 때문에 사람이 미워지는 경우다.

나는 이런 얍삽한 사람을 만나면 도저히 이해가 안 돼서 혐오스럽기까지 했다. 그런데 어느덧 그것마저 이해하게 되는 날이 왔다. '모든 사람은 자기 것이 가장 소중한 법이다'라는 것을 깨달아서 이해한 것이 아니라, 그 얍삽한 사람도 나중에는 그리워진다는 것을 알게 되었기 때문이다. 미운 사람도 시간이 지나면 그리워질 것을 알기에, 사람에 대한 미움을 많이 줄였다.

나에게 영감을 준, 인터넷에 떠도는 작자미상의 흔한 글을 하나 소개한다.

시어머니가 너무 고약하게 굴어서 도저히 견딜 수 없었던 며느리가 있었다. 사사건건 트집을 잡고 야단을 쳐서 나중에는 시어머니 음성이 들리면 소스라치게 놀라고 얼굴만 떠 올려도 경기를 일으킬 정도였다. 속이 답답하고 숨이 막힐 지경이 되자 '시어머니가 죽지 않으면 내가 죽겠어. 더는 못 참겠어' 하며 며느리는 몰래 용하다는 무당을 수소문해서 찾아갔다. 용한 무당은 며느리의 이야기를 듣고 "시어머니가 그렇게 미우냐? 내 비방을 알려줄 테니 그대로 하거라" 했다.

며느리는 눈이 번쩍 뜨여서 그 비방이 무엇이냐고 물었다. 무당은 시어머니가 가장 좋아하는 음식이 뭐냐고 물었고, 며느리가 인절미라고 대답하자, "앞으로 백일 동안 하루도 빼놓지 말고 인절미를 새로 만들어서 아침, 점심, 저녁으로 드리면 시어머니가 이름 모를 병에 걸려 죽을 것이다"고 예언했다.

며느리는 신이 나서 집으로 돌아와 찹쌀을 불려서 시어머니가 좋아하는 인절미를 만들었다. 시어머니는 처음에는 "왜 안 하던 짓을 하고 난리야?"라고 했지만, 며느리는 아무 소리도 하지 않고 매일매일

해드렸다. 시어머니는 그렇게 보기 싫던 며느리가 매일 새롭고 말랑 말랑한 인절미를 해다 바치자 며느리에 대한 마음이 조금씩 풀어지면 서 야단을 덜 치게 되었다. 두 달이 넘어서자 시어머니는 하루도 거르 지 않고 인절미를 해주는 며느리의 마음 씀씀이에 감동이 되어서 동 네 사람들에게 해대던 며느리 욕도 하지 않고 반대로 침이 마르게 칭 찬하게 되었다.

어느 덧 석 달이 다 되어가면서 며느리는 자신을 야단치거나 트집 을 잡기는커녕 칭찬하고 웃는 낯으로 대해주는 시어머니를 죽이려고 한 자신이 미워졌다. 이렇게 좋은 시어머니가 정말로 죽을까 봐 걱정 이 돼서 다시 무당을 찾아갔다. 그리고 "제가 잘못 생각했습니다. 저 희 시어머니가 오래 사실 수 있는 방법만 알려주시면 있는 돈을 다 주겠습니다"고 말하며 무당 앞에서 큰 소리로 울었다. 용한 무당은 방긋 웃으며 "미운 시어머니는 벌써 죽었지?" 하고 물었다. 미운 시어 머니는 벌써 죽고 사랑스런 시어머니로 바뀐 것이었다.

사회생활도 마찬가지 아닐까? 주변의 미운 사람 죽이는 것도 마 찬가지다. 미운 사람에겐 끊임없이 잘해주는 것이 답이다. '미운 자식 떡 하나 더 준다'는 속담도 있지만, 미운 사람에게 잘해주기란 참으 로 어렵다. 남자가 하이힐을 신고 마라톤 풀코스를 완주하는 것보다 더 어려울 것이다. 하지만 밥 사주고 커피 사주고 좋은 면을 억지로 라도 찾아내서 칭찬해주다 보면, 당신이 미워하던 사람은 죽고 당신 이 좋아하는 그 사람이 짠 하고 나타나 있을 것이다.

직장이든 단체든 가까운 곳에 싫은 사람이 있으면 생활 자체가 무척 힘이 드는 법이다. 그리고 사람 관계에서는 대부분 내가 싫어하면 상대방에게도 그 마음이 전달되어 그 사람도 나를 싫어하게 되므로, 관계가 갈수록 불편해지기 마련이다.

어떤 분들은 나이가 들면서 미운 사람이 많아진다는 분들도 있고, 또 어떤 분들은 나이가 들면서 미운 사람이 적어진다는 분들도 있다. 나이가 들수록 경험이 많아져서 나랑 맞지 않는 사람이 확연하게 구분되기에 미운 사람이 많아질 수도 있고, 반대로 확연하게 다른 사람으로 구분되는 것을 알기에 이해의 폭이 넓어져서 오히려 미운 사람이 적어질 수도 있다.

내가 쓴 책『소통으로 성공을 디자인하라』에 적기도 했지만, 누군가가 미운 게 어쩌면 내 모습이기 때문일 수 있고, 미워하면서 닮아갈 수도 있다고 했다. 사람과 사람 사이에는 서로 고치려고 하면 안 된다. 서로가 좋아하는 것을 해주는 것이 아니라 싫어하는 것을 하지 않으면 된다. 이것이 바로 표영호의 소통의 원칙이다.

바보처럼 살면
행복해진다

·

나는 참 손해를 많이 보고 산다는 생각을 한다. 외모에서 느껴지는 이미지로 인해 손해 보는 것이다. 나는 어릴 때부터 얼굴이 희고 입술이 얇아서 도시형으로 생겼다. 원래 강원도 시골 촌놈인데 서울 깍쟁이처럼 생겨서 말을 하지 않고 가만있으면 삐졌다고 생각한다.

내게는 손해 볼 것 같지 않고, 똑똑하고, 깍쟁이 같은 이미지가 있는 것 같다. 예전에 TV 프로그램을 할 때도 훈훈한 프로그램을 진행하고 싶은데, 생긴 게 깍쟁이다보니 그런 프로그램에서는 섭외가 들어오지 않았다. 여리고 남의 이야기를 잘 듣는 성향인데도, 외모에서 느껴지는 서울깍쟁이 같은 이미지 때문에 손해를 많이 봤다.

나는 또 귀가 얇은 사람이다. 15년 전에 내가 아는 분이 자기 아들이 의대를 가는데 등록금이 없다고 했다. 나는 그런 말을 들으면 눈물이 난다. 그리고 그 아이의 앞길을 막으면 안 될 것 같아 언제 갚을지 묻지도 않고 500만 원을 빌려줬다. 그 사람이 빌려달라고 직접적으로 말한 것도 아니고 그런 뉘앙스만 내비쳤을 뿐인데도 그 사람 말을 다 믿고 선뜻 빌려주었다. 그런데 그 사람은 그 돈으로 해외여행을 갔다.

그럼에도 불구하고 지난 15년 동안 단 한 번도 돌려달라는 말을 한 적이 없고 그것에 대해 물어본 적도 없다. 왜 속였냐고 따질 만큼 야박한 사람이 못 된다. 이렇게 모질지 못한 사람인데 겉으로 보이는 이미지를 가지고 사람들은 '냉정해 보인다', '차가워 보인다'고 말한다. 그리고 개그 할 때도 차갑고 냉정한 느낌이었는지, 좋은 뜻으로 해석해서 촌철살인(寸鐵殺人, 간단한 말로도 남을 감동하게 하거나 남의 약점을 찌를 수 있음을 이르는 말)이라는 말로 위로해주었다. 그런데 촌철살인이라는 말이 좋은 말은 아니다. 이미지가 후덕한 사람에게 붙이는 말은 아니기 때문이다.

물론 그 외모 때문에 이익을 본 것도 있다. 촌철살인이라고 말한 것 자체가 나를 똑똑하게 본 것이다. 이미지가 '지적으로 보인다', '도시형 남자다'라는 말도 들어봤고, 한때는 '까도남'이라는 말도 들었다. 시골 촌놈이 까도남, 즉 '까다로운 도시 남자'라는 말을 들었으니 손해 본 것은 없는 셈이다. 그래서 방송할 때도 재능에 비해 약간 득을 본 것도 있다.

어느 날 개그맨 최양락 형과 함께 밥을 먹고 있었다. 그 형은 순박

하고 순진해 보이고 어떨 땐 실없어 보이기까지 하는데, 충청도 사투리까지 더해져 그는 아주 구수한 사람으로 보인다. 그 형이 나에게 고향이 어디냐고 물어 강원도라고 했더니 깜짝 놀라서 밥숟가락을 놓고 가버렸다. 내가 자기에게 거짓말한다는 것이었다. 진짜 내 고향은 강원도 영월을 지나 정선의 어느 마을 함백이다.

외모야 어찌 되었든 좀 바보스럽게 살 필요도 있다. 남자들은 뭐든지 잘 아는 것처럼 보이고 싶어서일까? 운전하면 절대 길을 묻지 않는다. 내비게이션 없이 모르는 길을 가더라도 절대 길을 묻지 않는다. 특히 여자가 옆에 있을 땐 더욱 그렇다. 하지만 바보처럼 보일지라도 모르면 물어보자. 그것이 마음 편하다.

택시를 타면 목적지를 빙빙 돌 때가 있다. 안 막히는 길로 가려고 한 건데 막상 가보니 막히는 것이다. 그런 경우에도 나는 짜증을 내지 않는다. 기사 덕분에 새로운 동네도 구경하고, 몰랐던 길도 알 수 있었다고 생각해버린다. 짜증을 내지 않는 이유는 내가 짜증을 내면 기사도 기분이 나쁘고 하루 종일 짜증이 날 것이기 때문이다. 내가 시간과 돈을 조금 손해 보는 것을 감수하면 둘 다 행복해진다.

음식점에 가서도 마찬가지다. 주문한 음식이 잘못 나오는 경우가 있다. 자장면을 시켰는데 짬뽕이 나오면, 까칠하게 자장면 갖다달라고 짜증을 낼 수도 있다. 하지만 그러면 종업원은 주방장에게 혼나서 기분이 나쁠 것이고 나도 맘이 편치 않을 것이다. 그래서 나는 그냥 잘못 나온 음식을 먹는 편이다. 예의 바르게 바꾸는 경우도 있지만, 바보스럽게 살자고 마음먹은 후로는 굳이 바꾸지 않는다. 자장면을 꼭 먹고 싶으면 자장면을 하나 더 시킨다.

예전에는 따져서 내 권리를 찾았음에도 불구하고 마음이 불편했다. 한번 기분이 나빴기 때문에 그 기분이 한 시간은 간다. 그래서 따지지 않는다. 바보처럼 살면 내 스스로가 행복해진다. 바보처럼 살아서 얻은 이익은 내가 날카롭고 빡빡하고 나름 똑똑하게 억척같이 살았을 때보다 훨씬 더 많았다.

바보처럼 산다는 것은 모든 것을 다 받아들인다는 뜻이 아니라 굳이 내가 할 말을 다 안 하고 사는 것을 의미한다. 내가 하고 싶은 말을 다 하지 않고 사는 것이 바보처럼 사는 것이고, 그렇게 살면 행복해진다.

바보처럼 살면 첫째, 사람들이 나에게 쉽게 다가온다. 둘째, 다른 사람의 경계에서 벗어날 수 있어 내가 할 수 있는 일이 더 많다. 예를 들어 조조가 천하를 거머쥔 후에 유비를 술자리에 불러다가 "천하의 영웅이 누구라고 생각하느냐?"라고 물었을 때, 유비는 "천하의 영웅은 나입니다"라고 하지 않고 "천하의 영웅은 조조 장군입니다" 하고 술상 앞에 엎드려서 부들부들 떠는 모습을 보여주었다.

과연 유비는 정말 조조가 천하의 영웅이라고 생각했겠는가? 자비가 없는 조조, 힘만 자랑하는 조조, 천하를 움켜쥘 만한 그릇이 아닌 조조를 천하의 영웅이라고 생각했겠는가? 아니었을 것이다. 그런데 말을 잘못하면 유비는 그 자리에서 조조에게 목을 베어 죽임을 당한다. 그렇게 부들부들 떠는 유비를 봤을 때 조조는 유비가 자신에게 덤빌 만한 사람이 못 된다고 생각하고 다른 장수들에게로 경계의 시선을 돌렸을 것이다.

바보처럼 보이면 상대에게 경계의 대상이 되지 않는다. 우리나라 역사에도 그런 인물이 있다. 흥선대원군은 상갓집 개라는 말을 들을 만큼 술 마시고 술주정 부리고 망나니처럼 지냈다. 그래서 권력에 욕심이 없는 사람이라고 다들 무시해서 결국 살아남았고 아들을 왕위에 앉힐 수 있었다. 그 왕이 바로 고종이다.

흥선대원군은 세도정치를 타파하고, 경복궁을 중건하고, 신분을 가리지 않고 인재를 등용하는 정책을 펼쳤고, 긴 도포자락에 뇌물을 숨기고 다닐 수 없도록 하기 위해 도포 자락을 짧게 만들었다. 양반들의 거들먹거리는 긴 담뱃대를 짧게 만들었다. 괜히 양반이라고 폼만 잡고 다니지 말라면서 갓도 챙을 대폭 작게 줄였다. 상갓집 개처럼 술을 얻어먹고 다니던 사람이 의식개혁 운동을 했던 것이다. 그런 계획을 세우고 있었는데도 사람들이 몰랐기에 아들을 왕으로 만들 수 있었던 것이 아닐까? 물론 쇄국정치로 조선을 빨리 망하게 하기도 했지만 과(過)가 있다고 해도 공(功)은 인정해주자.

셋째, 가장 중요한 것은 내 마음이 편하다는 것이다. 때린 놈은 불편해서 잠을 못 자고 맞은 놈은 발 뻗고 잔다. 그래서 오히려 바보처럼 산다는 것은 나를 행복하게 하는 길이다. 바보처럼 사는 것의 가장 기본적인 행동요령은 간단하다. 마냥 웃어주면 된다. 웃어주기, 하나만 지켜도 된다. 내가 웃음으로써 상대에게 친근감을 주면, 그 사람이 나를 싫어할 확률이 매우 낮아진다. 오늘부터 주위 사람들에게 한번 실험해보라.

세상은 총명하고 똑똑하고 손해 보지 말고 살라고 한다. 그러나 총명하고 싶어도 총명하지 않은 내가 어떻게 그렇게 살 수 있을까? 바보는 계산하지 않으며 손익을 따지지 않는다. 편법과 비리로 높은 곳까지 올라가고, 또 그로 인해 부를 축적하는 사람도 있다. 하지만 나는 그런 편법과 비리를 쓰고 싶어도 그럴 수 있는 힘도, 그럴 수 있는 머리도 없다. 그런데 어떻게 총명하고 똑똑하게 살 수 있겠는가? 지는 것이 지는 것이 아니고, 이기는 것이 이기는 것이 아니다.

무시당하고 살자는 뜻이 아니다. 그저 웃어주고, 그저 손해를 조금 감수하고, 그저 사람들로 하여금 편안함을 안겨주는 그런 사람이 되자는 것이다. 바보가 되면 경계해야 할 적보다 아군이 더 많아진다. 적을 만드는 것과 아군을 더 많이 만드는 것, 어느 쪽이 정말로 현명한 사람인가?

이해는 되는데 용서 안 되는 것,
용서는 되는데 이해 안 되는 것

·

공자(孔子)는 『논어(論語)』 위정편(爲政篇)에서 20세는 약관(弱冠)이요, 30세는 이립(而立)이고, 40세는 불혹(不惑)이요, 50세는 지천명(知天命), 60세는 이순(耳順)이요, 70세는 고희(古稀)라 했다. 20세는 몸은 어른인데 정신이 어려서 관(冠)을 쓰지만 아직 약하고, 30세는 정신과 육체가 모두 어른이 되었으니 뜻을 세우고 독립을 하며, 40세는 유혹에도 넘어가지 않을 만큼 뜻이 굳어진다. 50세는 하늘의 뜻까지 알정도로 현명해지고, 60세에는 다른 사람과 다툴 일이 없을 정도로 귀가 순해지며, 70세는 만나보기 힘들 정도로 드물어서 고희다.

그런데 요즘은 공자의 이런 말들이 다르게 들린다. 공자는 기원전 551년에 태어난 분이니 요즘 시대까지 그의 말이 딱 들어맞으면 더 이상할 것 같긴 하다. 어쨌든 요즘은 40대가 유혹이 제일 많고, 오히려 하고 싶은 일이나 겪어보지 않은 일에 흔들리는 경우도 많다. 나이 50이 되면 천명을 알 정도로 현명해지기는커녕, 곧 다가올 정년퇴직이 두렵고 100세 시대를 맞아 노후를 어떻게 할 것인지 걱정만 태산이다.

이순도 마찬가지다. 귀가 순해져서 사람들의 이런저런 이야기를 들어도 허허실실 웃고 마는 것이 아니라 고집과 편견 때문에 노인정이나 경로당에는 사회문제, 정치문제로 언성 높여 싸우는 어르신들이 많다.

그리고 70세가 고희? 어림도 없다. 인터넷을 뒤져서 과거의 평균 수명을 찾아보니 1970년대만 해도 평균 수명이 남자는 58.6세에 여자는 65.5세였으니 어느 정도 공자의 말에 고개를 끄덕일 수 있었다. 그러나 1980년에 접어들자 평균 수명은 남성이 61.7세에 여성이 70세가 되었고, 1990년에는 남성 67.2세에 여성이 75.5세로 늘어났다. 2000년대에는 남성 72.2세에 여성 79.6세로 남녀 모두 평균 수명이 70세 이상이 되었고, 이후에도 평균 수명은 계속 올라가서 2014년 기준으로는 남성의 평균 수명이 79세에 여성이 85.5세다. 50년도 안 되는 사이에 남성과 여성 모두 평균 수명이 20년 이상 증가한 셈이다.

하지만 나이 마흔 중반이 넘으면 직접 겪는 일이 아닐지라도 주위 사람들로부터 간접적으로 보고 듣고 알게 되는 일들이 많아진다. 그러면서 '별별 사람이 다 있구나' 하는 생각을 하게 되고, 그런 경험이 많아지면서 조금 놀랍거나 색다른 이야기를 들어도 '그런 경우가 있더라' 하면서 맞장구치고 이해하게 된다.

이렇게 우리는 살아가면서 각자 생각의 프레임이란 것을 갖게 된다. 자신이 경험한 일들을 기억하고 그것을 뇌가 정보화해서 그 정보를 철저히 믿는 경향이 생기는 것이다. 그래서 나이가 들수록 고집이 세지는 경우가 많다. 자기 프레임이 짜여 있기 때문에 남들과 싸우게 되고, 프레임과 성향이 맞는 사람들끼리 편을 가르고 옳다, 그르다, 맞다, 틀리다를 주장하면서 살게 되는 것이다. 그러다 보니 나이 60이 되어도 이순이 아니라 오히려 다툼이 늘어난다.

우리가 예의 없는 사람을 보면 '무례하다'는 표현을 쓰는데, '무례하다'는 표현 자체가 그 사람이 가지고 있던 경험을 뇌가 정보화해 데이터로 가지고 있는 프레임에서 나온 것이다. 그것을 나는 퍼스널 데이터에 의한 퍼스널 프레임으로 정의한다.

남들은 아무렇지도 않은 듯 태연히 행동하지만 내 입장에서는 도저히 이해되지 않는 일들이 있다. 예를 들어 여동생이 대학 등록금을 직접 벌겠다고 술집을 나간다면, 이해는 되는데 용서가 안 되는 것일까, 용서는 되는데 이해가 안 되는 것일까? 철석같이 믿었던 가장 가까운 지인이 내 돈을 떼먹고 도망가서 연락이 없다면, 이해는 되는데 용서는 안 되는 것일까, 용서는 되는데 이해가 안 되는 것일까?

함께 노력해서 성공한 프로그램을 마치 저 혼자 한 것인 양 상사가 독식할 때, 사랑하는 사람이 나 몰래 다른 사람을 마음에 두고 있을 때, 믿고 산 제품에 하자가 있어 리콜이나 애프터서비스를 신청했는데 잘 안 해줄 때, 잘못은 자기가 하고 오히려 큰소리칠 때, 아이의 성적은 안 오르는데 학원비는 꼬박꼬박 나갈 때, 우리는 이런 일들을 어떻게 받아들여야 할까?

돈 많은 재벌이 도박하는 것은 돈을 더 벌려는 게 아니라 그 도박에서 승부근성을 발휘하려는 것일지도 모른다. 그렇게 생각하면 이해가 될 법도 하다. 하지만 내 배우자가 도박장에 가서 도박을 한다면 결코 승부근성이 있다는 식으로 이해할 수는 없을 것이다. 생각해보자. 내 입장에서 이해는 되는데 용서는 안 되는 것, 용서는 되는데 이해는 안 되는 것은 무엇인가?

물론 그런 상황이 한두 가지는 아닐 것이다. 약속을 습관적으로 자꾸 어기는 사람에게 그때그때 상황을 들으면 이해는 되지만 그 사람이 용서되지는 않는다. 부부관계를 오래 안 했더니 배우자가 바람을 피운 것도 이해는 되는데 용서가 안 되는 것이다. 이런 사례는 어마어마하게 많다. 그렇다고 이해나 용서를 안 하고 살 수는 없다.

남녀 간의 사랑은 생물학적 차원이고, 이해는 철학적 차원이며, 용서는 종교적 차원이라는 말이 있다. 억지로 이해하려고 하거나 용서하려고 하면 할수록 이해와 용서는 불가능하다. 이런 상황을 나는 불가항력적 용서, 불가항력적 이해라고 표현한다. 자식에게 엄청난 사교육비를 들여 교육을 시키는데 성적이 기대치만큼 안 나왔다고 해서 당장 투자를 중단할 수는 없지 않은가. 더 이상 돈이 없으면 몰라도 대부분의 부모들은 대학 입시가 끝날 때까지 울며 겨자 먹기 식으로 계속 투자를 한다.

이해와 용서는 우리가 사랑에 빠지는 것과 같다. 사랑에 빠지는 것을 말로 설명할 수 있을까? 불가항력적으로 끌리는 남자와 여자, 그래서 시작되는 사랑을 어떻게 말로 설명하겠는가? 사랑은 '왜'라는 단어가 필요 없는 것이다. 내 입장과 조건, 그 사람의 입장과 조건 등등을 논리적으로 따지는 것은 사랑이 아니다. 이해할 수 없는 남녀 간의 사랑처럼 이해와 용서는 내가 결정할 사항이 아니다.

'용서나 이해는 사람의 힘으로는 어쩔 수 없다', '용서나 이해의 범주는 신의 영역이다'라고 보는 나의 관점에서는, 용서하거나 이해하려 들지 말고 있는 그대로를 받아들여주는 것이 할 수 있는 최선이다. 내가 용서하고 안 하고 이해하고 안 하고에 따라서 상대방이 바뀌는 것이 아니다.

이해와 용서라는 것은 경험한 것을 정보화해서 믿는 것인데, 상대도 자신이 경험한 것을 바탕으로 형성된 퍼스널 프레임을 가지고 있다. 이해와 용서는 사람의 영역이 아니라 신의 영역이므로, 그 사람의 프레임을 있는 그대로 받아들이자. 그것이 소통이다.

나도 살아오면서 서운함에 욕도 해보았고 배신감에 복수를 결심한 적도 있다. 그러나 시간이 지나고 돌이켜보면 다 부질없는 짓이었다. 그런 생각을 하면 할수록 나만 힘들어진다는 것을 알았을 때 나는 허무함을 느꼈다. 스님이나 목사님 같은 분들에게나 듣는 먼 이야기가 아니라, 알면서도 행동이 따르지 않는 이야기가 아니라, 정말 현실이 그런 것이다.

그것은 나와의 소통이다. 이 책의 가장 큰 프레임인 소통과 변화는 내가 행복해지기 위해서 하는 것이다. 사랑도 지나면 아무것도 아님을 알게 되듯이, 시간이 지나고 나면 용서할 것도 이해할 것도 아무것도 없음을 알게 된다. 용서와 이해는 상대방을 위해서 하는 것이 아니다. 상대방을 용서하고 이해하는 것은 결국 내 마음 편하자고, 내가 행복하자고 하는 것이다. 그러니 용서와 이해는 결국 나와의 소통이고, 상대와 내가 함께 행복해지고 함께 마음 편해지는 원원의 결정판인 셈이다.

인정받는 대로
살아진다

·

우리가 세상을 살아갈 때, 내가 보는 내가 진정한 나일까, 남들 눈에 보이는 내가 진정한 나일까? 예를 들면 스스로는 남에게 피해를 안 주고 도덕적으로 살아간다고 생각하는데, 남들이 그 사람을 볼 때는 이기적이고 깍쟁이에 고집불통일 수도 있다. 남이 보는 나와 내가 보는 내가 일치하지 않는 경우가 아마도 더 많을지 모르겠다. 그래서 사실 우리는 남에게 자신이 어떻게 보이는가를 고려할 필요가 있다. 남들 눈에 내가 이기적이라면, 나 자신을 수정하기 위해 노력해야 한다.

사람이 살아가는 태도를 보면, 주변 사람들이 인정하는 대로 살아가는 경향이 있다. 내 동창 중에 술주정뱅이 친구가 있었다. 이 친구는 술만 먹으면 행패를 부린다. 이른바 주폭(酒暴, 술에 취한 상태에서 불특정 다수를 대상으로 폭력과 협박을 가하는 사회적 위해범)이다. 그래서 그 친구에게는 진정한 친구가 없었다.

어느 날 동창회에서 그 친구가 안 보여 다른 친구에게 물었더니, 술만 마시면 행패를 부리고 시비를 걸고 싸움을 하니 동창회 사람들이 연락하지 말자고 했다는 것이다. 그 후로 몇 년 동안 그 친구는 동창회에 나오지 못했다. 연락을 못 받아서도 못 나온 것도 있지만 술 마시고 실수한 것 때문에 스스로도 나오기 힘들었을 것이다.

몇 년 후 내가 또 물었다.

"○○○는 왜 동창회를 안 나오니?"

전과 같은 대답이었다. 그래서 나는 거짓말을 했다.

"얼마 전에 그 친구를 만났는데 술 매너 좋아졌더라. 술 먹고 주정 부리지 않는 거야. 오히려 술 취해서 집에 가는 사람들을 챙겨 보내더라니까. 정말 달라졌어."

사람들이 모두 놀랐다.

"정말? 그럴 리가 없는데, 진짜야?"

그러자 다음 동창회에는 그 친구를 불렀다. 그 친구가 옆에 있을 때 나는 사람들에게 공개적으로 이야기했다.

"얘는 최근 몇 년 동안 술주정을 부린 적이 없어. 이 친구 술 매너 정말 좋더라. 이 친구 술 매너가 제일 좋을 거야."

주변에 있는 친구들은 반신반의했고, 나도 내심 불안하기는 했다. 그런데 이 친구가 그날 정말 매너 있게 술 마시고 기분 좋게 집에 갔다. 당연히 다음 모임에도 친구들의 연락을 받고 나왔으며 매너 좋고 기분 좋게 어울리다가 갔다. 친구들이 궁금해서 그 친구에게 물었다고 한다.

"너 술만 마시면 시비 걸고 물건 던지고 하더니, 그 습관을 어떻게 고쳤니?"

이 친구가 하는 말이 "영호가 술 마시면 매너 좋은 친구라고 사람들에게 이야기하고 인정하는데, 내가 어떻게 주폭 노릇을 또 해. 나를 좋게 인정하면 그렇게 따라줘야지" 하더라는 것이다. 남들에게 보이는 나를 중요시하기 때문에 사람은 남들이 인정하는 대로 되려고 자연스럽게 노력하는 법이다.

이와 유사한 이야기로 절뚝이 남편 이야기가 있다. 다리를 저는 남편이 있었는데, 그 아내가 남편을 '절뚝이'라고 불렀다. 그랬더니 동네 사람들이 전부 그를 절뚝이라고 부르고 무시했다. 어느 날 아내는 다른 동네로 이사 가서 다시 살아야겠다고 생각했다. 그리고 그곳에서는 절름발이 남편을 '교수님'이라고 불렀더니, 그 동네 사람들도 전부 남편을 교수님이라고 불렀다. 술주정뱅이였던 남편은 주변 사람들이 자기를 교수님이라고 부르니까 실제로 교수님처럼 점잖게 행동하게 되었다는 것이다.

방송인 이경규 선배가 치킨 사업을 시작하기에 앞서 홍보의 일환으로 TV 홈쇼핑에서 닭을 팔았다. 선배가 나에게 홈쇼핑 론칭 방송에 우정출연 해줄 것을 부탁했다. 준비된 닭볶음탕을 현장에서 가스버너로 직접 끓이고, 끓는 동안에 닭을 키우는 장면을 찍은 준비된

영상을 보여주고, 다시 생방송 스튜디오로 돌아오면 요리되어 있는 것을 먹는 스케줄이었다.

영상이 나가는 사이 스튜디오 밖에서 잠시 쉬고 들어오자마자 다시 생방송이 시작되었다. 쇼호스트가 "자, 표영호 씨 요리 다 됐죠?"라고 물어, 테이블 위를 보니 가스버너에 불이 꺼져 있었다. 닭볶음탕은 요리가 안 돼 있었고, 그것을 카메라 뒤에서 본 이경규 선배는 깜짝 놀랐다. 내가 서 있는 조리대와 약간 거리가 떨어져 있던 쇼호스트는 이런 상황을 눈치 채지 못하고 "표영호 씨, 시식해 보세요"라고 권유하는 것이다. 생닭인데 먹어야 할지 순간적으로 고민하는 사이, 이경규 선배가 카메라 뒤에서 나를 보는 눈빛이 아주 애절했다. 그 눈빛에는 '영호야, 먹어, 제발 먹어'라며 애원하는 기색이 역력했다. 그도 그럴 것이 홈쇼핑에서의 순간적인 착오나 실수가 사업을 하는 사람에게 돌이킬 수 없는 실패를 안겨주기도 하기 때문이다. 내가 먹지 않으면 이경규 선배가 몇 년 동안 준비한 사업을 망칠 수도 있는 위기의 순간이었다.

결국 나는 그 생닭을 세 조각이나 먹었다. 엄청 비리고 느끼해서 정말 먹기 힘들었다. 더구나 익은 닭은 조금만 씹어도 삼킬 수 있지만 생닭은 오래 씹어야 했다. 곧 토할 것 같았지만 맛있게 먹는 표정까지 짓고 먹었다. 완판이 되었다. 그렇게 힘들게 방송을 마친 후, 나는 솔직히 이경규 선배가 내게 와서 고맙다고 할 줄 알았다. 대기실에서 기다리고 있는데 오지 않아서 지나가는 MD에게 물었더니 선배는 완판이 되어 좋아하며 집으로 갔다는 것이었다. 너무 서운했다.

생닭까지 먹었는데 나에게 아무 말도 없이 집으로 갔다는 것은 정말 섭섭했다.

생각할수록 너무 서운해서 강의할 때마다 이 이야기를 했다. 1년에 4만 명 앞에서 이경규 선배 욕을 한 셈이다. 그랬더니 어느 날 이경규 선배에게서 연락이 왔다.

"네가 내 욕을 그렇게 많이 하고 다닌다며?"

"어? 어떻게 알았어요?"

"왜 몰라. 내일 내가 하는 방송을 봐봐."

방송에서 이경규 선배가 "예전에 나를 위해 생닭을 먹어준 표영호에게 정말 고맙다"고 이야기하는 것이다.

한참이 지난 후 개그맨 이윤석에게 "방송 녹화하러 가면 이경규 선배가 영호 형 칭찬을 그렇게 많이 해요"라는 말을 들었다. 뭐라고 했는지 물었더니 선배가 부탁을 하면 성심성의껏 도와준다고 말했다는 것이다. '이경규 선배가 나를 그렇게 인정하는구나.' 그동안 욕하고 다닌 것이 미안해졌다. 그래서 그 후로는 이런 이야기까지 다 강연장에서 녹여서 이야기한다. 그리고 나는 선배들이 무슨 부탁을 하면 정말 성심성의껏 도와주게 되었다. 나도 모르게 타인에게 인정받은 대로 살아지더라는 것이다.

그러므로 어떤 사람이 변하기를 바란다면 먼저 상대를 원하는 상태대로 인정해주자. 상대방이 '내 맘에 쏙 드는 사람이었으면 좋겠다'면 내 맘에 쏙 드는 사람으로 포장을 해주라는 것이다. 그러면 그 사람은 정말 내 맘에 드는 사람으로 행동하게 된다. 인정하는 대로 살아지게 되는 것이다.

유재석도 마찬가지다. 유재석이 타인을 배려한 한두 가지 것들이 사람들 입에 오르내리다 보니 유재석은 어느새 백 가지를 배려하는 사람이 되었다. 남들이 그렇게 생각하면 그 생각에 어긋나지 않는 행동을 하려고 하기 때문에, 유재석은 점점 더 남을 배려하는 훌륭한 사람이 될 수밖에 없다. 유재석은 같이 있던 사람들을 집에 데려다주는 습관이 있다. 피곤하고 방향이 달라도 마찬가지다. 그런 점이 또 사람들 입에 오르내리고, 그는 결국 배려의 아이콘이 되었다. 사람들이 인정하는 대로 살아지는 것이다.

『심리학의 원리(Principles of Psychology)』라는 책으로 우리에게 잘 알려진 심리학의 거장 윌리엄 제임스(William James)는 "인간이 가진 본성 중에 가장 강한 것은 타인에게 인정받기를 갈망하는 마음이다"라고 했다. 우리는 누구나 다른 사람들에게 인정받고 싶어 한다. 어쩌면 사랑받고 싶어 하는 마음과 일맥상통하는 것이다. 인정받으면 행복해지는 것은 물론이고, 그런 인정이 나를 인정받은 대로 나 자신을 운전하게 만드는 묘한 매력이 있다.

다른 사람에게 인정받는다는 것은 힘겨운 사회생활과 인생을 살아가는 데 심리학적으로 커다란 안정감을 주기에, 우리는 고단함을 뒤로 한 채 사람들과 소통하며 남들에게 나를 좋게 보이도록 애쓰면서 살아간다고 해도 과언이 아니다.

사랑받기 위해 그리고 인정받기 위해 온갖 신경을 쓰고, 사람들의 비위를 맞추라는 이야기는 아니다. 나란 사람을 타인에게 긍정적으로 인정받으려고 해도, 너무 많은 관계 속에서 지친 사람들에게는 관계의 권태기가 올 수도 있다. 하지만 적어도 내가 다른 사람을 대할 때는 내가 그에게서 얻고자 하는 대로 그를 인정하라. 사람은 상대의 기대에 부응하고 그것을 칭찬받는 것에 행복감을 느끼기 때문이다.

　누군가에게 인정받지 못한다면 스스로라도 인정해줄 필요가 있다. 이것을 나는 자가인정(自家認定: self-acknowledge)이라 한다. 자가인정은 스스로를 더 단단하게 만드는 결과를 가져온다. 자신이 바라는 대로의 모습을 스스로 만들어갈 수 있기 때문이다. 자가인정으로 자신을 단단하게 가꾸다 보면, 우리가 사회생활할 때 종종 사용하는 용어인 '내공이 강한 사람'이 될 수 있다.

우리는 누구나
지지적 관계가 필요하다

·

내가 설립해서 운영하는 교육과정 중에는 CEO와 전문가들이 참여하는 '굿마이크 LSA'라는 최고위 과정이 있다. 그런데 유감스럽게도 굿마이크 최고위 과정 7기 때, 갈등이 생겨 분열이 일어났다.

처음에는 같은 기수의 원우끼리 생겼던 갈등이, 급기야는 굿마이크와 7기 원우들 간의 갈등으로 번졌다. 그것이 나중에는 굿마이크 LSA 7기와 굿마이크 LSA 총동문회와의 갈등으로 번지고, 해결의 실마리를 찾기보다는 걷잡을 수 없는 오해가 양산되어 결국 돌아오지 않는 강을 건너게 되었다.

그 사건을 겪으며 어떤 사건이 발생하면 남의 말을 전할 때 곧이곧대로 전하지 않는 사람들, 갈등이 생기면 해결하려 하지 않고 오히려 갈등을 부추기는 사람들이 있다는 것을 느끼게 되었다. 이익집단

이 아닌 경우에도 반드시 그런 사람은 존재한다. 일대일로 만나 보면 다들 너무 좋은 사람이지만, 여럿이 뭉치다 보면 조금씩 이상해지는 것이다.

싸움 구경은 돈 주고도 못하는 귀한 것이라서 그런 걸까? 싸움이나 갈등이 있을 때, 보는 사람이 없으면 당사자들도 싸우다가 마는 경우가 많다. 그런데 지켜보는 사람이 많아지면 자존심 문제가 추가되어 양보나 이해보다는 더 심하게 싸우기도 한다. 지거나 밀리면 쪽 팔린다든지, 너만은 내가 꼭 이겨주겠다든지 하는 심리가 작용하는 것이다. 그래서인지는 몰라도 처음에는 그다지 대수롭지 않았던 갈등이 굿마이크 LSA의 존폐의 문제로까지 대두될 정도로 심각한 상황이 되었다. 사회심리학적으로 본다면 군중심리, 책임분산, 무관심, 이 세 가지가 겹쳐져서 생긴 비운의 결과였다.

1기부터 6기까지 각 기수의 회장들과 원우들이 굿마이크를 많이 지지해주고 응원해주고 힘을 실어주었다. 그런데 7기에서 이런 일이 벌어지고 나자, 사분오열되어 서로의 주장들이 다 다르고, 삼삼오오 짝지어 편이 생기고, 앞과 뒤에서 하는 말이 다른 것이다. 그동안 나를 지지해주었던 많은 분들도 지지하는 마음을 거두었다.

중간에 한 번 삐끗하게 된 7기의 사건 때문에 8기와 9기 원우를 모집하는 데 너무 힘이 들었다. 내가 힘든 건 문제가 아니었다. 어렵게 만들어오던 최고위 과정이 어쩌면 별것도 아닌 미묘한 개인의 감정 때문에 존폐 자체가 흔들리게 된 것이 문제였다.

어느 날 문득 나를 응원하고 지지했던 사람들이 정말 나를 지지하고 응원했던 것인가를 고민하기 시작했다.

어쩌면 그들은 그들을 응원하고 그들을 지지한 것이었다. 내가 교육과정을 만들어 좋은 사람들을 모아놓고 그들에게 모임을 만들어주면서 동지의 지지적 관계를 만들어준 것이다. 그런데 사분오열되니까 1기부터 7기까지 모두 나를 지지하지 않는다고 생각되었고, 가만히 있는 사람들은 방관만 하고 있다고 생각되었다.

그 와중에도 다음 기수로 좋은 사람을 추천해주고, 문자로 힘내라고 응원해주고, 전화를 걸어 긍정적인 충고도 해주는 그런 분들이 있었다.

"원장님, 원장님은 굿마이크 LSA의 존재 이유입니다. 흐트러지지 마세요. 힘내세요."

"아파하지 마세요. 무조건 응원 드릴게요."

"앞으로 좋은 분들 많이 추천하겠습니다."

나는 이 말들을 지금도 잊지 못한다. 한참 힘이 들고 버거울 때 이 말들은 정말 힘이 되었다. 돌이켜보면 누가 누군가를 지지한다는 것은, 그리고 그런 관계를 형성한다는 것은 그 어떤 경우라도 '나의 주장'을 많이 내려놔야 가능한 일이었다.

'더 좋은 세상 따뜻한 하루' 홈페이지에서 읽은 글이다.

어느 아파트 근처에 있는 세탁소에서 불이 났다고 한다. 불은 세탁소 전부를 태웠고, 며칠이 지난 후 아파트 게시판에 '사과문' 하나가

붙었다. 사과문에는 불이 나 옷이 모두 타서 죄송하다는 이야기와 옷을 맡기신 분들은 옷 수량을 신고해달라는 내용이 적혀 있었다.

공고가 붙은 후, 한 주민이 공고문 아래 글을 적고 갔다. 당연히 옷 수량을 적어 놓은 글인 줄 알았지만, 뜻밖에도 "아저씨! 저는 양복 한 벌인데 받지 않겠습니다. 그 많은 옷을 어떻게 하시겠습니까? 용기를 내세요"라는 말이 적혀 있었다. 그 주민 말 한마디에 아파트 주민들이 속속 배상을 받지 않겠다고 나서기 시작했다. 그 후 누군가 금일봉을 전했고, 금일봉이 전달된 사실이 알려지자 또 다른 누군가도 도움의 손길을 보내왔다고 한다.

얼마 뒤 아파트 벽보에 또 한 장의 종이가 붙었다. 다름 아닌 '감사문'이었다.

"주민 여러분! 고맙습니다! 월남전에서 벌어온 돈으로 어렵게 일궈온 삶이었는데, 한순간에 모두 잃고 말았습니다. 하지만 여러분의 따뜻한 사랑이 저에게 삶의 희망을 주었고, 저는 다시 일어설 수 있었습니다. 꼭 은혜에 보답하겠습니다."

나비의 날갯짓처럼 작은 움직임이 폭풍우와 같은 커다란 변화를 유발시키는 현상을 나비효과(butterfly effect)라고 한다. 나비효과처럼 누군가 작은 선행과 배려로 시작한 일이 세상을 움직이고 변화시킬 수도 있다. 자신의 작은 선행으로 많은 세상 사람들에게 희망을 줄 수도 있는 것이다. 루쉰(魯迅)은 이렇게 말했다.

"희망이란 본래 있다고도 할 수 없고 없다고도 할 수 없다. 그것은 마치 땅 위의 길과 같다. 본래 땅에는 길이 없었다. 걸어가는 사람이 많아지면 그것이 곧 길이 되는 것이다."

나에게 응원을 보내준 사람들을 보면서, 지지적 관계의 사람은 많으면 많을수록 좋겠다는 생각이 들었다. 지지적 관계의 사람들이 많으면, 아무리 어렵고 힘든 위기에서도 넘어지지 않고 다시 일어설 수 있다.

지겟작대기라는 것이 있다. A자 형으로 생긴, 짐을 싣는 본체를 넘어지지 않게 지탱해주는 Y자 형태의 긴 나무이다. 지게에 짐을 싣기 위해서는 버팀목인 지겟작대기가 반드시 필요하다. 살아가는 것이 힘에 부칠 때 지겟작대기처럼 지탱해주는 조력이 있다면 얼마나 든든하겠는가?

다른 사람이 나에게 지겟작대기, 즉 지지적 관계가 되어주는 것도 중요하지만, 나도 누군가에게 지겟작대기가 되어야 한다. 잘못된 것을 지적하는 사람들은 너무나 많다. 그리고 굳이 내가 지적하지 않아도 당사자는 이미 많은 지적을 스스로 할 것이다. 힘들어하는 벗이 있을 때 방관하거나 혹은 그를 흉본 경험이 있는가? 그럴 때는 방관하거나 흉을 보기보다 그를 위해서 무엇이든 도움이 되려고 노력해야 한다. 기왕에 지겟작대기의 역할을 자처한다면 화끈하게 하는 것이 좋다. 반드시 다시 내게 돌아온다.

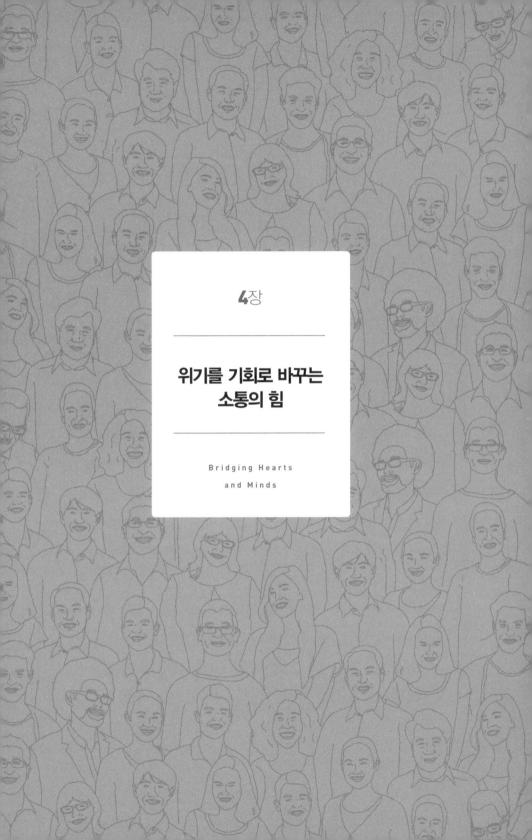

4장

위기를 기회로 바꾸는
소통의 힘

Bridging Hearts
and Minds

운에
기대지 말라

·

여러 사람이 모인 곳에서 점심때나 간식 타임에 종종 볼 수 있는 광경이 있다. 바로 사다리 타기다. 타고 내려간 줄 끝에서 가장 많은 금액이 나오면, 당사자는 탄식을, 옆 사람들은 탄성을 지른다. 당사자의 탄식은 당연히 '내가 제일 운 나쁜 사람이네'라는 판단에서 나온 것이고, 다른 사람들의 탄성은 '내가 제일 운 나쁜 사람이 되는 것은 면했다'는 판단에서 나온 것이다.

이렇게 우리는 별것 아닌 결과를 가지고 운이 좋고 나쁨을 판단한다. 예를 들어 기차를 탈 때 옆자리에 미녀가 앉으면 운이 좋다고 하고, 모임에 있는 많은 사람 중 내 마음에 드는 사람과 교제를 시작하면 운이 좋다고 한다. 그런데 막상 그 이성과 결혼했더니 성격이 아주 안 좋거나 빚이 많은 사람이라면? 그러면 운이 좋아서 만난 그

운명의 여인은 졸지에 운이 나빠서 걸린 여자가 되고 만다. '왜 하필 이런 사람이 내게 걸렸을까.'

그 모임에서 다른 이성과 눈이 맞은 내 친구는 그냥 밉상은 아니다 싶어서 결혼했는데 알고 보니 부잣집 외동딸에 성격마저 온순하고 내조를 잘하는 여성이었다. 그러면 나는 그 친구에 비해 운이 나쁘다고 판단하게 된다. 직장동료가 회사 입구에서 어쩌다 한 번 쓰레기를 치웠는데 하필 그 시간에 그룹사 회장이 지나가다 보고, 주인의식 있는 인재라면서 승진하게 되었다. 그러면 그는 운이 좋았다고 한다.

하지만 인생은 새옹지마(塞翁之馬, 인생의 길흉화복은 변화가 많아서 예측하기가 어렵다는 말)라는 말이 왜 나왔겠는가? 오늘 운이 좋았다고 판단한 일이 알고 보니 운이 나쁜 일이었고, 운이 나쁘다고 생각했는데 알고 보니 정말 운이 좋았던 일들이 많이 발생한다.

슬픈 기억이긴 하지만 지인의 친구 중 한 명은 1995년 6월 삼풍백화점이 붕괴될 때 백화점 지하에 저녁거리를 사러 갔다고 한다. 그런데 그 사람이 찾는 음식재료가 하필 딱 떨어졌고, 곧 남편이 퇴근할 시간이어서 다른 데 재료를 사러 가야 했던 그녀는 "뭐 이런 재수 없는 날이 다 있어"라고 투덜거리며 삼풍백화점 지하마트를 빠져나왔다. 하지만 100미터도 가기 전에 굉음과 함께 백화점이 무너져 내리는 것을 목격해야 했다. 만일 그 음식재료가 있었더라면 그녀는 그것을 골라서 계산했을 것이고, 계산대에서 계산이 끝나기도 전에 백화점이 무너져 그 아래에서 사고를 당했을 것이다.

굵직굵직한 사고가 터질 때마다 이런 사연들이 소개된다. 운이 나빠서 그 비행기를 타지 못하고 다음 비행기로 표를 바꿨더니 원래 타려고 했던 비행기가 추락한 일도 있고, 반면에 대기승객 명단에 이름을 넣어뒀는데 운 좋게 누군가 비행기를 놓치는 바람에 탑승했다가 사고를 당하는 경우도 있다. 그래서 우리에게는 절대적으로 운 좋은 일도, 절대적으로 운 나쁜 일도 없다.

언젠가 MBC 〈일요일 일요일 밤에〉 김영희 PD가 만든 프로그램 중 확률이 낮은 것에 도전하는 코너가 있었다. 10미터 전방에서 뛰어가서 여러 개의 문 중에 하나를 골라 온몸을 던지는 게임이었다. 문이 2개가 있으면 뛰어가서 둘 중 하나를 골라 그 문에 온몸을 던지는 것이다. 운이 좋으면 벽이 뚫리고, 운이 나빠 막힌 문을 선택하면 벽에 부딪쳐서 고통으로 나뒹굴게 된다.

물론 운이 좋게 스티로폼으로 막힌 문을 선택할 확률은 단계가 올라갈수록 낮아진다. 처음에는 50%, 다음에는 33%, 다음에는 25%, 이런 식으로 7개까지 간다. 만일 누군가가 7번째 문까지 운 좋게 통과한다면 아마 그는 신일 것이다. 첫 녹화는 파일럿 프로그램(pilot program, 정식으로 발표되기 전에 제작된 텔레비전 프로그램이나 에피소드)으로 제작되었다. 첫 주자는 나였고, 데뷔한 지 얼마 안 된 신인 개그맨이 〈일요일 일요일 밤에〉 고정 코너에 출연하기는 어려운 때였다.

기회가 왔기 때문에 '재미있게 해야지' 하고 전속력으로 뛰다가 문 2개 중에서 하나를 골라 전력을 다해 뛰어들었다. 그런데 문이 부서지면서 뚫렸다. 그때까지만 해도 운이 좋다고 생각했다. 다음 관문도 뛰어야 하니까 내가 방송 화면에 노출될 수 있는 기회가 한 번 더 있기 때문이다. 기분 좋게 두 번째 관문을 향해 뛰었다. 이번에는 3개의 문 중 하나만 뚫려 있고, 나머지 2개의 문을 택하면 벽에 부딪혀서 나뒹굴게 될 상황이었다. 힘껏 달려가 3개의 관문 중 하나를 택해서 뛰어 들어갔다. 그런데 어이없게도 이번에도 통과할 수 있는 문을 선택했다. 1/3의 확률이었다. 그때부터 나도, PD도 웃음기가 사라졌다. 네 번째도 마찬가지였다. 이번에는 1/4의 확률을 통과한 것이다. 단순계산으로 해도 1/2, 1/3, 1/4을 통과했으니 무려 1/24의 확률에 해당하는 일을 내가 한 것이었다. 문제는 그다음부터였다. 5번째도, 6번째도, 마지막 관문인 7번째도 통과하고 만 것이다. PD 얼굴은 붉으락푸르락했고 내 얼굴도 벌게졌다. 나중에 계산을 해봤다. 무려 1/5,040의 확률에 해당하는 일을 내가 하고 만 것이었다.

속 모르는 사람들은 첫 녹화부터 대박 났다고 옆에서 박수 치고 난리가 났다. 그것이 운 좋은 것이라면 엄청난 일이겠지만, 그러나 이것이 될 말인가? 한 사람이 단번에 7개 관문을 모두 통과해버리면 그 프로그램이 재미있겠는가 말이다.

화가 난 김 PD가 2층에서 녹화를 중단하고 플로어로 내려왔다.

"이걸 다 뚫으면 프로그램이 되니? 네가 다 망쳤다!"

그리고 스텝들한테 큰 소리로 엄포를 놓고 다시 뛰었다. 7개의 관문을 새로 세우고 처음부터 녹화를 다시 시작한 것이다. 혹시 뭘 보고 눈치 챈 것이 아닐까 의심한 나머지 내 눈을 가리고 2개부터 다시 뛰었다. 정말 주눅이 들었다. 제발 2개는 뚫더라도 3개 중 하나 고르는 문에서는 벽에 부딪쳐서 아파보자 하고 간절히 바랐는데, 결국 6 개까지 뚫고 말았다. 그리고 그 프로그램은 파일럿 프로그램을 끝으로 없어지고 말았다.

두 차례에 걸쳐 13번이나 귀신같이 하나밖에 없는 통과 문을 골라낸 나였지만, 결국 운이 없었던 것이다. 내가 그 프로그램에 출연하고 한두 번 뚫은 것까지는 운이 좋은 것이었지만, 6개, 7개 관문을 다 통과한 것은 지독히도 운이 나쁜 것이었다. 그것 때문에 PD한테 혼나고, 프로그램이 없어지고, 기회를 박탈당했으니 운도 참 어지간히 나쁜 셈이었다.

옛날 어떤 선비가 가느다란 호박 넝쿨에 커다란 호박이 달린 것을 보면서 이렇게 나약한 줄기에 큰 호박을 달리게 했을까 하고 의문을 가졌다. 나무도 크고 가지도 두꺼운 큰 상수리나무에는 작고 보잘 것 없는 도토리가 달려 있는데 말이다. 호박은 얼마나 운이 없고, 도토리나무는 얼마나 운이 좋은가? 오히려 튼튼한 나뭇가지가 있는 상수리나무에 호박처럼 큰 열매가 달리고, 호박 넝쿨처럼 가느다란 것에는 작은 열매가 달리는 것이 이치에 맞는 것은 아닐까?

그런데 그 선비가 상수리나무 그늘 아래에서 낮잠을 자는데, 머리 위에서 도토리가 떨어졌다. 만일 커다란 호박이 상수리나무에 달려 있다가 떨어졌으면 분명 목숨도 위태로웠을 것이다. 그 선비는 순간 깨달았다. 만일 상수리나무에 호박처럼 큰 열매가 달려 있다면, 호박은 바닥에 떨어지면서 대부분 깨지고 말 것이다.

운이 없다고 푸념하면 계속 운이 없다. 운칠기삼(運七技三)이라는 말을 많이 한다. 어떤 일에는 운(運)이 70% 작용하고 기(技), 즉 재주가 30% 작용한다는 말이다. 그래서 아무리 열심히 공부해도 학운이 있어야 명문대에 합격한다고도 한다. 그렇다면 모든 성공은 운이 좌우할까? 돈과 여자와 운은 쫓으면 쫓을수록 도망간다고 한다. 돈을 쫓아가면 돈이 도망가서 모이지 않고, 여자와 운도 마찬가지다.

운도 내가 내 할 일을 다 하고 나서 하늘에 맡기는 것이다. 진인사대천명(盡人事待天命)이라고 하지 않던가. 내가 최선을 다하지 않고 운만 믿으면 아무 일도 일어나지 않는다. 누구는 친구 잘 만나서, 여자 잘 만나서 운이 좋아 잘 되었다면서 자기 노력은 이야기하지 않은 사람이 많다. '운이 좋았어' 혹은 '운이 나빴어'라는 것은 모두 자신이 얼마나 노력해서 운을 자신의 것으로 받아들이는가에 달려 있다.

사람들은 2016년 봄 드라마 〈태양의 후예〉가 워낙 인기를 끌자 남자 주인공 송중기가 운이 좋았다고 한다. 드라마를 보면 송중기가 주인공 유시진 역할에 안성맞춤이라는 생각이 드는데, 드라마 제작 당시 그 역할은 송중기가 아니라 원빈, 공유, 조인성 등의 배우들에게 먼저 제의했다고 한다. 특공대 대위면 강한 이미지가 있어야 하는데, 송중기는 여린 이미지였기 때문이다. 그런데 그들이 다른 드라마 스케줄 때문에 안 맞아서 송중기가 주인공이 된 것이다.

그런데 송중기는 단순히 운이 좋았던 것일까? 한국 드라마 열풍을 처음 만든 것은 〈겨울연가〉다. 그런데 원래 배용준의 상대역은 최종적으로 캐스팅된 최지우가 아니라 김희선이었다고 한다. 이것도 역시 최지우가 운이 좋았고 김희선이 운이 나빴던 것일까? 가수 보아는 오빠가 오디션 받으러 가는 데 따라갔다가 캐스팅되었다. 보아도 운이 좋아서 가수가 된 것인가?

이들이 나중에 한 연기나 노래를 보면, 아무도 운이 좋아서 그렇게 되었다고 말하지는 못할 것이다. 캐스팅되기까지의 과정은 약간의 운이 작용했을 수도 있다. 원빈이나 조인성이 스케줄이 맞았다면 역할은 그들에게 돌아갔을 것이기 때문이다. 하지만 송중기나 최지우가 평소 그 역할을 맡아도 어울리도록 노력하지 않았더라면 그 드라마가 결과적으로 그토록 큰 인기를 끌지는 못했을 것이다. 그러니 운보다는 본인의 노력 가치가 더 크다. 보아는 가수가 되기 전까지 엄청난 양의 연습을 했다. 손가락 뻗는 거 하나, 턴 하는 표정, 눈빛 연기까지 엄청난 훈련을 받았다. 운이 아니라 노력이었던 것이다.

〈엑스맨(X-Men)〉의 주인공 울버린 역 역시 처음에는 휴 잭맨(Hugh Jackman)이 아니었다고 한다. 이런 경우를 영화나 드라마에서 숱하게 볼 수 있다. 그 영화나 드라마가 잘된 결과만 보고 처음 그 역할을 거절한 사람들이 눈앞의 복을 차버린 것처럼 인구에 회자되지만, 주인공이 바뀌었더라면 그 영화나 드라마의 운명도 바뀌었을 것이다. 송중기가 자신만의 색깔로 역할을 분석해서 연기했기 때문에 〈태양의 후예〉가 그토록 인기를 끈 것이다. 캐스팅 자체도 준비되어 있지 않았으면 안 되는 것이었다. 결과만 보고 운이 좋았다고 말하는 사람이 있는데 운에만 기댄 것은 아니었다.

60대에 성공한 사업가에게 "어떻게 그렇게 성공하셨어요?"라고 물었더니 "운이 좋아서 동업해준 친구가 있었어요. 친구를 잘 만나서 사업에 성공할 수 있었죠"라고 대답했다. 그 사람의 대답은 겸손의 말이고, 그 친구라는 분도 이분이 동업할 만한 인재니까 같이한 것이다. 같이 동업한 친구에게 보여주는 신뢰와 능력, 이것을 서로 보여주면서 최선을 다했기 때문에 운이 역할을 보태준 것이다. 인맥을 쌓고 친구를 만들고 신뢰를 쌓아서 운을 부르는 것이니, 그것은 노력이다. 운도 노력에 의해서 온다.

골프 게임 중에 홀인원이라는 것이 있다. 파3홀에서 한 번에 쳐서 홀컵에 공을 넣는 건데, 평생 골프를 쳐도 홀인원을 한 번도 못하는 사람이 99% 이상이다. 그런데 홀인원을 한 사람 중에 실력으로 홀인원 했다는 사람은 하나도 없다. 그리고 반대로 실력이 아니라고 말하는 사람도 없다. 운도 실력이다. 실력에 운이 더해져야 홀인원이 나온다.

당신은 운을 어디까지 믿는가? 나는 운을 부정하지는 않지만 운에 기대지는 않는다. 가수 이적의 어머니 박혜란 여성학자 책에 "진흙탕에 나 혼자 빠지면 기분이 나쁘지만 여럿이 빠지면 놀이터가 된다"는 말이 나온다. 박혜란 님의 말처럼 운은 생각하기에 따라서 바뀌는 것이다. 운은 자기가 부르는 것이다.

성공한 사람들의 이야기를 들어보면 운이 좋았다고 겸손의 말을 한다. 결코 운으로만 성공하지 못한다는 것을 우리는 잘 알고 있고,

그렇게 그들이 말하는 운이 따라주기까지는 얼마나 힘든 역경을 이겨냈는지 우리는 짐작할 수 있다.

운으로 잘된 사람도 있을 것이다. 그러나 그 사람에게는 다음이 없다. 운은 계획으로부터 온다는 이야기도 있고, 운은 실력이 있으면 더 잘 따라온다는 이야기도 있다. 운에 기대기보다 운을 리드해야 한다. 운이 좋다, 나쁘다 말하는 것은 일의 결과 뒤에 말하는 것이기에, 운은 내가 앞서 한 행동의 부상 같은 것이다. 좋은 사람과 좋은 관계를 통하여 운을 창조하자.

부러운 사람이 있다는 것에
감사하라

·

곰곰이 생각해보면 누구나 부러운 사람이 있을 것이다. 글을 읽기 전에 1분만 생각해보라. 각자가 부러운 사람이 있다.

니트 옷을 만드는 회사의 모 대표도 부러운 사람 중의 한 명이다. 그녀는 원래 니트를 만드는 작은 회사에 취직했는데, 회사가 부도나서 지방에서 업자들이 쫓아오고 난리가 났다. 그녀는 단지 여직원이었을 뿐인데 책임지라면서 옷을 만들어 보내라고 하여 공장에 오더 넣는 등 뒷수습을 하다가 자기 사업이 되었다고 한다. 본인이 운영하면서부터는 딱 부러지게 사업을 잘해서 서초동에 10년 만에 빌딩도 샀다. 어느 정도 사업이 안정기에 접어들었을 때 가만히 생각해보니까, 친구들은 애들을 좋은 대학에 보냈는데 자기 아이들은 그렇게 공부를 잘하지 못해서 자존심 상할까 봐 걱정되었다고 한다. 그래서 회사 경영 일선에서 물러나 회사 일은 하루에 2시간만 집중력 있게 하고, 집에 가서 애들 학원 정보를 알아내어 좋은 학원에 보내면서 애들을 학교와 학원에 태워다 주는 라이더만 3년을 했다고 한다. 그렇게 하고 나서 딸 둘을 모두 소위 명문 대학에 진학시켰다.

그렇게 어느 정도 목표했던 결과를 달성하자, 이제는 사업을 집중적으로 해야겠다면서 다시 경영 일선으로 돌아왔다. 하나를 시작하면 딱 부러지게 하는 사람이라 정말 사업도 잘한다. 나는 이분의 성공이 부러운 것이 아니라 근성이 부럽다. 마음먹으면 마음먹은 대로 성공시키고야 마는 근성이 부럽다.

그런데 이분이 요즘은 술을 배우고 있다고 한다. 남편이 퇴근하고 오면, 잠이 안 온다면서 막걸리를 마시고 자는데 자기가 그중에 두 잔은 빼앗아 마셔야 하니까 술을 배운다는 것이었다. 막걸리 한 병을 남편이 다 마시면 건강에 해로우니까 조금이라도 덜 마시게 하기 위해서란다. 정말 너무 멋진 여성 아닌가?

나는 살아오면서 남을 별로 부러워해본 적이 없다. 내가 가진 것이 많고 내 생활에 만족해서가 아니다. 특별히 갖고 싶거나 하고 싶은 것이 없어서 부러운 게 없었던 것이다. 부러운 것이 없으면, 하고 싶은 것이 없다.

어느 날 우리 사무실에 중년 여성이 문을 열고 들어와서 "여기가 표영호 원장님 사무실인가요?"라고 물었다. 그렇다고 했더니 "제 남편이 원장님께 교육받는 ○○○입니다. 교육을 잘 마쳐서 감사해요. 감사의 성의 표시를 하고 싶어서 찾아왔어요"라는 것이다.

그동안 교육 사업을 하면서 남편이 스피치 교육을 마친 것에 대해 감사를 표하고 싶다면서 아내가 찾아온 것은 처음 있는 일이었고 어찌 생각하면 경이로운 일이었다. 그 남편이 국세청 김성동 서기관인데, 아내의 내조가 참으로 대단하다. 1년이 지난 얼마 전에는 내 생일이라며 케이크를 들고 또 찾아오셨다. 남편이 멀리 지방 근무를 하고 있어서 직접 오지는 못했다며, 유감의 말을 전하고 갔다. 이분을 보고 나는 김성동 서기관이 너무 부러웠다.

지방에 계신 그분에게 "사모님이 오늘 제 생일이라며 케이크를 들고 오셨어요. 너무 감사합니다"라고 전화했다. 나이 어린 학생의 학부모도 아닌데, 사회에서 만난 선생님까지 챙기는 일이 어디 쉬운가? 초중고에 다니는 아이의 담임 선생님을 찾아간 것과는 사뭇 다른 것이다. 아이의 담임 선생님을 찾아간 것은 의무고, 성적표도 주지도 않고 대학에 진학할 것도 아닌데 나를 찾아와서 감사를 전한 것은 나에 대한 배려다. 나는 이 배려심이 너무 부럽다.

부러운 사람이 또 있다. 건설 분양업을 하는 이지혜 대표의 부모님이다. 이지혜 대표는 30대 초반의 나이인데, 책을 많이 읽고 지식과 교양이 있어서 사람들과 대화와 소통이 잘되는 분이다. 이 대표의 부모님은 61세, 62세인데 어머니가 과외 선생님을 집으로 불러 영어를 배운다고 한다. 어머니가 혼자 배우면 지루해할까 봐 아버지도 같이 배우는데, 어머니가 영어를 배우는 이유는 화장품에 쓰여 있는 영어를 직접 해석하려는 것이고, 아버지는 가이드 없이 해외여행을 다니려는 것이다.

그런데 하루는 어머니가 "아빠가 공부를 너무 열심히 해서 걱정이다. 너의 아빠는 나중에 정말 크게 될 사람이야"라고 하셨다고 한다. 이 대표의 어머니가 말한 '나중에'는 언제일까? 100세 시대가 되었으니 60대 초반이면 기대수명이 30년 이상 남아 있겠지만, 어쨌든 그분은 자신의 남편을 아직도 청년으로 보고 그 미래를 믿고 있는 것이다. 이렇게 남편을 신뢰하고 사랑하는 아내가 있는 사람이 나는 부럽다. 그분들의 품성이 부럽다.

부러움의 시작은 비교이다. 가난해서 불행하다고 느낀 사람은 부자를 부러워하고, 외로워서 힘든 사람은 사랑하는 사람들을 부러워한다. 부러움은 상대적인 것이다.

KBS에서 여자들에게 어떤 여자가 부러운지 설문조사를 한 결과, 1위가 몸매가 타고난 여자, 2위가 남편 복 있는 여자, 3위가 돈이 많은 여자, 4위가 건강한 여자, 그 뒤로는 아무리 먹어도 살 안 찌는 여자, 시댁이나 친정이 부자인 여자 등으로 조사되었다. 그런데 비교라는 것은 불행의 시작일 수도 있다. 비교는 내가 불리하고 불공정하다고 느낄 때 많이 한다. 내가 저 사람보다는 행복하다고 비교하는 것보다 손해라고 비교할 때가 더 많다.

내게 부러운 사람이 있다는 것에 감사해야 한다. 나에게 삶의 방향을 가르쳐주는 나침반 같은 역할을 하기에, 부러워서 질투하기보다 그것을 따라쟁이처럼 나도 학습해야 한다. 부럽다는 것은 내가 갖지 못한 것의 넋두리가 아닌 나에게 변화를 가져오는 시작점일 수 있는 것이다. 누구나 완벽하지는 않다. 나도 부러움의 대상이 되도록 만들어야 한다.

삶이란
고단함의 연속이다

.

돌이켜보면 내 삶은 하루하루 고단함의 연속이었던 것 같다. 막막함을 안고 살던 20대에는 정말 앞이 캄캄했다. 무엇을 해야 할지, 무엇을 하면 좋을지에 대한 정보도 없이 그저 하루하루 흘러가는 날들을 지켜보는 일 외에는 별달리 할 수 있는 것을 몰랐던 시절이었다. 버스를 탈 돈이 없어서 열 정거장 정도는 걸어다니기 일쑤였다. 대학을 졸업하고 취업준비생일 때는 자취방에 쌀이 떨어지는 일도 비일비재했고, 월세를 못 내 친구 집을 전전하던 날들도 많았다. 지금 생각해보면 그때 어떻게 살았는지 정말 아찔한 생각마저 들 정도다.

그러던 어느 날 개그우먼 이영자가 나를 찾아와서 개그맨 시험을 같이 보자고 했다. 이영자는 나의 대학 동창으로, 당시 개그맨을 꿈꾸고 있던, 아니 절박하게 개그맨을 해야만 했던 친구였다. 그때는 KBS나 MBC에서 1~2년에 한 번씩 개그맨 콘테스트를 통해 개그맨을 선발하여 자사 코미디 프로그램에 기용했다. 지금은 특별히 개그맨 콘테스트를 통해 데뷔하기보다는 가수든 배우든 예능적 재능이 있다면 엔터테인먼트의 기획사를 통해서 데뷔를 한다.

당시에는 개그맨 콘테스트에 합격하는 것이 일반인이 할 수 있는 최선이었기 때문에, 나는 이영자와 함께 개그맨 콘테스트에 지원했다. 그런데 전국에서 웃기기로는 내로라하는 사람들이 모여 겨루는 콘테스트에서 합격하는 것은 결코 쉽지 않았다. 나는 7번 떨어지고 이영자는 탈락의 고배를 8번이나 마셔야 했다.

이후 이영자는 다운타운 무대에서 활동하다가 시험을 거치지 않고 그 재능을 인정받아 MBC의 이웅주 PD에게 캐스팅되어 1992년 〈청춘행진곡〉이라는 프로그램으로 데뷔했다. 당시 이웅주 PD는 개그맨 이휘재, 강호동을 데뷔시켜서 스타로 만든 스타제조기 PD였다. 그녀가 방송에 데뷔하는 과정에서는 전유성 선배가 도움을 많이 준 걸로 기억한다.

지금의 이영자라는 이름은 내가 지어준 것이다. 이영자의 본명은 이유미이다. 이유미가 이영자보다 예쁘기는 하지만 개그맨으로는 지나치게 무난했다. 그래서 내가 이영자라는 예명을 만들어서 부르기 시작했다. 작은 승용차 안에서 영자와 이야기하다가 "너는 유미라는 이름보다 영자라는 이름이 더 잘 어울리니까 앞으로는 영자라고 해" 하니까, 영자는 내게 "그럼 너는 병태 할래?"라고 되물었다. 오래전의 영화 〈병태와 영자〉에 나오는 주인공 이름에서 따온 것이다.

개그맨 콘테스트에 7번 낙방하는 동안에는, 떨어지면 다시 다음 해 콘테스트를 준비하는 일이 연속되었다. 그런데 개그맨 시험을 준비한다는 것은 공무원 시험을 준비하듯 열심히 공부한다든가 토익 점수를 올린다든가 하는 것이 아니라서 참으로 막막하기 그지없었다.

그러던 차에 나에게 마지막 기회가 왔다. 7번째 개그맨 시험에 낙방하자 나는 '표영호 토크콘서트'라는 것을 기획해서 공연하기로 했다. 비록 개그맨 시험에 여러 번 낙방했지만 나름의 개그 철학과 웃음 철학을 보여주고 싶었다. 이 공연을 마지막으로 이제는 꿈을 접고 다른 일을 하겠다고 마음먹고 공연을 준비했다.

'표영호 토크콘서트'는 지금의 개그콘서트 형식으로, 정식으로 데뷔한 개그맨도 아니고 스타는 더욱 아니었던 일반인이 하기에 아주 벅찬 공연이었다. 그런데 아무도 알아주지 않던 그 공연을 MBC의 관계자가 관심을 가지고 구경을 왔다. 공연이 끝난 후 그들은 다음 MBC 개그맨 콘테스트에는 꼭 시험을 보라는 말과 함께 명함을 주고 갔다.

그것이 나에게는 행운의 터닝 포인트였다. 그 당시 MBC의 예능에 없어서는 안 될 두 분이 있었는데, 송창의 PD와 김성덕 작가였다. 송창의 PD는 당시 〈일요일 일요일 밤에〉라는 프로그램의 담당 PD로서 주병진, 이문세를 진행자로 기용해서 큰 인기를 끌고 있었다. 이

두 분이 기억할지 모르지만, 명함을 주면서 나에게 "이런 보물을 우리가 몰라본 게 잘못"이라고 하셨다. 그분들이 나를 좋게 봐준 것에 힘입어서 다음 해에 마지막 콘테스트를 치렀고, 결국 합격할 수 있었다. 말 그대로 칠전팔기(七顚八起)였다. 그때 내 나이가 29세로, 다른 사람들에 비해 데뷔가 좀 늦은 셈이었다.

'표영호의 토크 콘서트'를 준비하면서 나는 세상을 배웠다. 기획, 연출, 홍보, 출연, 섭외, 제작, 이 모든 과정을 나 혼자서 준비했는데, 수중에 돈이라고는 딸랑 5만 5,000원밖에 없었다. 공연에 필요한 돈은 공연장 대관료를 비롯해서 2,000만 원이란 거액이 필요한데, 공연을 하기에는 턱없이 부족한 돈이었다. 1992년 당시에는 인터넷이 일반화되어 있지 않아서 포스터를 붙이는 게 거의 유일한 홍보 방법이었다. 포스터를 제작할 여력도 없었는데 인쇄소 하는 선배의 도움으로 간신히 포스터를 제작할 수 있었다. 포스터를 붙여서 홍보를 하는 일도 남에게 맡길 수 있는 형편이 못 되어서 밤에 혼자 대학로에서 잠실, 잠실에서 노량진, 노량진에서 영등포, 영등포에서 종로, 종로에서 대학로까지 자전거를 타고 다니며 포스터를 붙이고 다녔다. 허가 받지 않고 포스터를 붙이면 불법이어서, 경찰에게 잡혀서 무릎을 꿇고 봐달라고 빈 것도 여러 번이었다.

그렇게 혼자 고생하면서 공연을 준비하는데, 주변에서 도와주겠다는 사람들이 하나둘 생겨났다. 포스터를 같이 붙여주는 선배도 있었고, 티켓을 사주는 사람도 있었고, 경희대학교의 어느 동아리에서는 밴드 공연을 무료로 해주겠다는 학생들도 있었다. 심지어 양복 한 벌 없는 나에게 무대에서 입을 양복을 사준 선배도 있었다. 그렇게 공연을 끝내고 나니, 내 통장에는 처음에 있던 돈 그대로 5만 5,000원이 남아 있었다. 그렇다. 나는 주변인의 도움으로 공연에 필요한 모든 것을 해결한 것이었다.

처음에는 모든 것이 막막했다. 나에게 도움을 줄 만한 사람이 있는지도 몰랐고, 그들이 내게 도움을 줄 거라고는 상상도 하지 못했다. 그런데 지성이면 감천이라고 했던가? 개고생 하는 나에게 손 내밀어주는 사람이 많았던 것이다.

나는 공연을 끝내고 한 달을 앓아누웠다. 공연을 준비하는 3개월 동안 제대로 먹지도 자지도 못해서 영양실조와 피로가 겹쳐서 쓰러진 것이었다. 한 달을 앓아누워 있으면서도 나는 희망을 보았다. 다음 콘테스트에 한 번 더 도전하라는 MBC 관계자의 용기를 주는 말과 함께, 나에게 선뜻 도움을 주었던 주변 사람들을 생각하면서 갑자기 자신감이 생겼다. 그저 막막하기만 했던 내 인생의 터닝 포인트가 이 공연이었던 것이다.

그 공연을 계기로 나는 하려고 하면 길이 보이지만 하지 않으려고 하면 핑계만 보인다는 너무나 당연한 이치를 깨달았다. 처음부터 존재하는 길은 없다. 누군가 처음으로 걸어가고 다른 사람들이 그 뒤를 따라가면 길이 만들어진다는 것도, 사람이 가장 큰 재산이라는 것도 그때 깨달았다. 처음부터 다 만들어진 것은 없다. 하나를 하면

두 개가 보이고, 두 개를 하고 나면 세 개가 보이는 것이다. 중요한 것은 하나를 해야 나머지가 보인다는 것이다. 세상 모든 숫자의 시작은 1부터인 것이다.

나는 개그맨으로 25년 넘게 활동했고, 강연을 통하여 긍정적 변화를 만들어보자는 취지로 좋은 말을 전하는 강연기업 굿마이크를 설립했다. 요즘은 굿마이크를 강연과 모임, 문화 마케터들의 플랫폼으로 거듭나게 하는 작업을 하고 있다.

굿마이크를 창립할 당시 나는 컴퓨터를 쓸 줄 몰랐고, 자판을 치는 법도 몰랐다. 컴퓨터로 할 수 있는 일이라고는 바둑 게임에서 바둑을 두는 것뿐이었다. 컴퓨터로 바둑을 두기 시작한 것이 10년 전인데도 컴퓨터를 그토록 몰랐다는 것은 너무 노력 없이 편하게 산 결과다. 파워포인트를 이용해서 PT를 하는 것은 물론, 한글 파일을 만들어서 글을 쓸 줄도 몰랐다. 자동차의 액셀은 아는데 컴퓨터로 하는 엑셀이 뭔지는 전혀 몰랐다. 이 일 저 일 해보려는 욕구는 많은데 모르는 것이 그렇게 많으니, 사업을 시작한 초창기에 얼마나 고단했겠는가?

내가 책을 쓰고 강의를 시작하고 사업을 하면서 가장 답답했던 것은 컴퓨터를 잘 모른다는 것이었다. 예를 들어 강의 현장에서 무언가를 수정해야 한다든지, 입찰해서 일을 따내려면 직원들에게만 시킬 것이 아니라 내가 직접 컴퓨터를 다루어야 할 경우가 있다. 스피드가 생명인 그때 컴퓨터를 쓸 줄 모르면 일을 그르치기 쉽고 상대방에게 신뢰를 주지 못하는 것이다.

나는 직원들에게 기획 아이디어를 하나 던져주고 준비해보라고 한 후 그들의 태도를 지켜봤다. 몇 개월이 지나도 준비하지 않거나 결과물을 보고하지 않아서 나는 직원들에게 왜 하지 못했는지 따져 물었다. 어떤 직원은 "어떻게 해야 될지 몰라서요"라고 대답하고, 또 어떤 직원은 고개만 숙인 채 묵묵부답이었다.

그 원인을 가만히 들여다보면 서식을 모른다든지, 기획 아이디어가 머릿속에는 있는데 파워포인트로 표현을 못한다든지 하는 경우가 허다했다. 그럴 때마다 나는 "하려고 하면 방법이 보이지만 하지 않으려고 하면 핑계만 보이는 거야"라고 말을 한다.

나는 일단 해보는 성격이다. 할 줄 몰라도 일단 하다 보면 알게 되고, 알게 되면 재미있어지는 것도 있고, 그러다 보면 남들보다 잘하게 되는 일도 생긴다. 일이라는 것이 하고 싶어서, 할 줄 알아서, 좋아하는 일이라서 하는 것도 아니다. 일은 하기 싫어도 해야 할 때가 있는 것이고 하기 좋은 일, 하기 쉬운 일, 좋아하는 일만 해서는 절대로 살아남을 수 없는 것 아닌가? 어떤 이유든 하지 않은 것은 핑계인 것이다.

하려고 하는 의지만 있다면 얼마든지 가능한 일을 하지 않는 경우가 많다. 이런 내 성격으로 인해서 나는 늘 고단한 삶을 살고 있는지도 모른다. 성공한 사람들 대부분은 고단한 삶을 살고 있으리라. 적어도 내 주변의 사람들 중에 흙수저임에도 성공한 사람들은 정말 엄청난 고단함을 늘 곁에 묻고 산다.

희망을 품으면 고단하기 그지없다. 희망을 품지 않으면 고단할 리가 없다. 고단하다는 것은 그대에게 용솟음치는 목표가 있다는 증거다. 고단하다 투덜대면서 그 일을 계속하는 이유는 그대가 살아 있다는 증거를 보여주는 것이다.

살아오면서
후회되는 것

강연을 하면서 사람들에게 살아오면서 후회되는 게 뭐냐고 물을 때가 있다. 그러면 많은 이야기가 나온다. 아침에 아내에게 화를 내고 나온 것이 후회스럽다. 후배나 부하직원에게 일처리 못한다고 핀잔을 준 것이 후회스럽다. 최선을 다하지 않았던 것이 후회스럽다. 옛날에 아파트를 사려고 했다가 포기한 것이 후회스럽다. 예전에 선본 남자랑 결혼했어야 했다. 그때 이혼을 해버렸어야 했다. 정말 갖가지 사연들이다.

나 역시 후회되는 것이 너무 많다. 그중 가장 마음 아픈 후회는 아들을 나무란 일이다. 아들이 중학교 2학년이던 어느 날 전화해서 "아빠, 오늘은 집에 안 들어오면 안 돼?"라고 했다. "왜?" 했더니 "그냥" 하고 전화를 끊기에 집에 가봤더니 아들 녀석이 친구 두 명을 데리고 와서 놀고 있었다. 그 순간 어찌나 화가 나던지, 나도 모르게 아이의 머리통을 한 대 손바닥으로 때리고 큰 소리로 야단을 쳤다.

"친구랑 놀고 싶어서 아빠 보고 집에 들어오지 말라고 한 거야?"

한 대 맞은 아들은 친구들과 함께 자기 방에 들어가서 다음 날 아침까지 안 나왔다.

그 후 한참 지나서 아들이 "아빠, 친구들 데리고 와서 놀아도 돼?"라고 묻기에 "그럼, 되지" 했더니 "그럼 나 안 때릴 거지?"라고 묻는 것이다. 그때 아이가 상처받았다는 것을 알고 나는 혼자 오래 후회했다. 왜 참지 못하고 아들을 때렸을까? 한참 자아가 생길 중2 아이의 마음을 모르고, 아버지 집에 안 들어왔으면 좋겠다는 말에 서운해서 화를 참지 못하고 아들을 한 대 때린 것이다. 그 일이 있고 나서 얼마나 미안했던지 1년 동안 아이의 얼굴을 제대로 쳐다보지 못했다.

그러던 어느 날 시인을 만났는데, 그 시인이 아이들을 키울 때는 '돌이 자란다'는 마음의 인내가 필요하다고 했다. 현실적으로 돌이 자라지는 않는다. 돌이 자라려면 얼마나 많은 시간을 인내해야 가능하겠는가? 아이가 바로 그 돌이라는 것이다. 아이를 키운다는 것은 그런 인내가 필요하다는 것이다.

인내하지 못하고 화를 낸 것에 대해서 지금도 후회하고 있다. 그 일이 있고 미안한 마음에 더 잘해주려고 애쓰는 것으로 나는 사과했다고 생각했는데, 이 글을 쓰면서 생각하니 정식으로 사과한 적이 없다. 아이 역시 아빠가 그 일에 대해 사과했다고 생각하지 않을 것이다. 오늘은 꼭 아이에게 사과하려고 한다.

아이에 대한 것 외에도 후회되는 일은 많다. 일에 집중하지 못한 것도 후회되고, 술을 자주 마신 것 역시 후회된다. 나는 술을 상당히 좋아해서, 잘 마시지는 못하는데 자주 마신다. 피곤하면 빨리 자려고 마시고, 일이 일찍 끝나면 일찍 끝나서 한잔 마신다. 이유가 있어서 마신다기보다는 마시기 위한 이유를 찾는지도 모르겠다. 하지만 술을 마셔서 도움 되는 일은 하나도 없다. 그러다 보니 지금은 '그 시간에 차라리 영어학원을 좀 다닐걸', '그 시간에 차라리 요리를 좀 배울 걸' 하는 후회가 엄청나게 밀려온다.

시간을 허비한 것에 대한 후회가 생기는 것이다. 시간을 허비했다는 생각이 40대 이전에는 안 들었다. 시간을 사용하는 것 자체가 다 나에게 투자하는 삶이라고 생각했다. 돌이켜보니까 그렇게 허비한 시간이 너무 많다. 세상에 시간처럼 공평한 것이 없다. 누구나 하루 24시간, 1,440분, 86,400초를 가지고 출발하고, 그 시간을 어떻게 사용하느냐에 따라 그 사람의 인생이 결정된다. 만일 내가 지난 24년 동안 술을 마시거나 이런저런 하는 일 없이 허비한 시간 중에서 한 시간씩만 영어를 공부했더라면 지금쯤은 능수능란하게 영어를 구사할 것이다. 똑같이 주어진 시간을 잘 사용해서 어떤 사람은 다양한 능력을 가진 사람이 되는 반면, 어떤 사람은 시간을 낭비하고 손에 쥔 것 없이 이렇게 후회하게 되는 것이다. 지금 이 순간, 최선을 다하지 않고 지나온 내 생활들에 대해서 가슴 깊이 후회한다. 후회하면서 '오늘은 정말 더 열심히 해야지', '이번 일은 정말 열심히 해야지'라는 결심을 한다. 후회는 더 나은 성찰을 만드는 것 같다.

사람이 죽음 앞에서 후회하는 것들이 있다고 한다. 걱정거리를 안고 살아온 것, 어느 하나에 몰두하지 못한 것, 도전적으로 살지 못한 것, 여행을 많이 못한 것, 가까운 사람들에게 자주 연락하지 못한 것, 내가 원하는 삶이 아닌 남의 시선을 만족시키는 삶을 산 것 등등 각자가 놓여 있는 환경에서 수많은 후회들을 하고 있다.

어느 방송사에서 무엇이 후회되는지 설문조사를 했는데, 20대부터 50대까지의 공통적인 답변은 '공부 좀 더할 걸'이었다. 그리고 돈 좀 모아둘 걸, 술 어지간히 좀 먹을 걸, 그 여자 잡을 걸, 그 남자 잡을 걸 등이었다. 또 남자는 60대가 넘어가면서 아내에게 좀 잘할 걸 하고 후회했다고 한다. 여자들은 대다수가 20대부터 50대까지 공부 좀 더 할 걸, 애들 교육에 더 신경 쓸 걸, 이 남자랑 결혼하지 말 걸, 이 집안에 시집오지 말 걸 등이었다. 70대가 되면 남자들은 아내에게 눈물 나게 한 것이 후회되고, 여자들은 아내로서 평생 고생하고 산 것이 후회됐다고 한다.

이 설문조사를 보면 후회되는 것의 시선이 나인 것과 타인인 것이 있다. 나에게 후회되는 것 중 '공부하지 않은 것'은 보통 부모가 자녀에게 하는 말이다. 아이들에게 공부해라, 일찍 자라, 운동해라, 좋은 친구 사귀어라 등의 말들은 본인이 하지 않았기 때문에 후회되는 것을 자식에게는 하라고 말하는 것이다. 자신이 후회되는 것을 아이는 하지 않았으면 하는 것인데, 불행하게도 아이들에게는 그것이 잔소리로만 들린다.

성공한 사람들이 좀처럼 쓰지 않는 단어가 있다. '-다가', '-는데', '-으면', '텐데' 같은 말이다. 그 땅을 사려다가, 내가 사려고 했는데, 아내가 말리지만 않았으면 지금 10배는 올랐을 텐데, 공무원 시험을 보려다가, 그때 친구들이랑 어울려 놀지만 않았으면 지금 공무원이 되어 있을 텐데, 이런 식의 화법이다. 성공한 사람들은 지나간 과거에 대해 이런 식으로 말하기보다 현실에서 내가 해야 할 일에 최선을 다 한다.

후회를 줄이는 것이 성공한 삶일 수 있다. 후회할 것을 줄이는 것이 행복한 삶일 수 있다. 후회된다는 것은 어쩌면 해보지 않은 일, 하지 못한 것들에 대한 아쉬움이다. 후회되지 않는 삶은 없지만, 행복하게 살기 위해서는 이런 후회를 최대한 줄이려고 노력하면서 살아야 한다.

미래는
아무도 모른다

·

나이 어린 사람에게 함부로 하지 말라는 말이 있다. 나이 어린 사람은 나중에 뭐가 될지 모르는 사람이기 때문이다. 뭔가가 될 수 있는 가능성이 충분하기 때문이다. 성공한 사람들의 이야기를 들어보면 성공하려고 노력해서 올라온 시간보다 성공한 지금을 유지하려는 노력이 더 필요하다고 한다. 성공하기까지의 노력도 중요하지만 성공하고 나서의 유지가 더 중요한 것이다.

내 주변에는 유독 나에게 아쉬운 말을 하는 사람이 많다. 직장 좀 알아봐 달라, 돈을 좀 빌려달라, 일을 알아봐 달라, 개업하는데 사람을 동원해서 장사가 잘되게 도와달라…. 그런데 그렇게 아쉬운 소리를 하는 사람 중에 나에게 잘해줬던 사람은 없다.

잘나가던 M사 PD가 있었다. 나와는 방송국 로비에서 오다가다 만나면 인사하는 사이일 뿐 한 번도 같이 일해보지 않은 PD였다. 그 분은 PD였고 나는 신인 개그맨이었기 때문에 어쩌면 그 사람이 갑 인 셈인데, 그 사람은 나를 프로그램에 써주지 않았다.

어느 날 PD 비리 사건이 발생했다. 그 PD가 해고되어 방송사를 나온 후 자꾸 전화해서 만나 보니, 호주로 유학 가 있는 아이의 학 비도 보내야 하고 생활비도 필요한데 월급이 안 나와 너무 힘들다며 자신을 도와달라는 것이었다. 마침 백화점에서 프랜차이즈 빵집을 내 앞으로 오픈할 기회가 있어서, 재기하라며 그 권리를 넘겨주었다.

나에게 온 기회를 넘겨주자 그는 너무 고맙다고 울먹였고 은혜를 잊지 않겠다고 했다. 나는 그가 빵집을 개업할 때 찾아가서 직원들 회식도 시켜주고, 매출에 도움을 주기 위해 손님들이 많이 오게 도와 주기도 했다. 그런데 3년 지나고 나서 그 빵집이 망했다. 그 PD는 빵 집을 접고 다시 케이블 방송국에서 프로그램을 맡아서 PD로 들어갔 다. 어느 날 내게 전화해서 난데없이 술을 사라고 한다. 자신이 갑의 위치에 있게 되니까 나에게 소위 갑질을 하려고 하는 것이다. 그래서 어려울 때 도와준 나에게 갑질을 하면 안 되지 않느냐고 하며 그를 만나지 않았다. 그는 그 후 방송국에서 또 잘렸는데, 또 찾아와서 프 랜차이즈 커피숍을 하게 돈을 좀 빌려달라는 것이었다.

그때 나는 그런 생각을 했다. 본인이 힘이 있을 때는 나를 도와주 지 않았으면서 왜 나한테 도와달라고 할까? 본인이 힘 있을 때 도와 준 사람이 있을 텐데, 왜 그들에게 도와달라고 하지 않을까? 그런데 그 사람은 잘나가던 PD 시절 주변 사람에게 인심을 너무 잃었다. 그러니 그 사람이 힘들 때 그 사람과 거래하던 많은 사람이 그 사람을 도와주지 않은 것이다.

프랜차이즈 사업으로 대박이 난 선배가 있다. '카페 왕'으로 불리면서 성실하게 부를 축적했는데, 정선 카지노에 빠져들면서 4년 만에 모든 재산을 잃고 말았다. 그 형이 망가졌다는 이야기를 듣고 마음 아파하던 중, 어느 날 길에서 그 선배를 우연히 만났다. 그런데 그 형이 나를 알아보고 피하는 것이었다. 쫓아가서 "형, 형이 너무 걱정됐었어. 어떻게 지내는 거예요?" 하고 물었더니, 그간의 일을 다 이야기하면서 다시 열심히 살 거라고 했다. 그리고 몇 개월 후에 스트레스로 뇌혈관이 터져 수술했다는 연락을 받았다.

선배는 50세가 넘었지만 솔로에 돈이 많았기 때문에 따르는 여자도 많았다. 그 많던 여자들은 다 어디 갔을까? 그 형이 상의할 게 있다며 10번 넘게 전화를 해서, 만나서 식사하는데 갑자기 울먹이며 수술비를 빌려달라고 했다.

"사람들이 내가 도박했다는 것을 알고 돈을 안 빌려준다. 자살하고 싶은 마음이 굴뚝같다. 네가 도와주기 싫으면 안 도와줘도 섭섭해하지 않을 테지만… 좀 도와줬으면 좋겠다."

그래서 나는 "병원비에 필요하다고 하니까 돈은 드릴게요. 나중에 재기하면 꼭 이 돈을 두 배로 갚으세요" 하고 돌아서는데 마음이 너무 아팠다. 성실하고 착하게 열심히 사업을 하던 사람이 어느 날 망가졌는데, 성공했을 때 그토록 많던 주변의 사람들은 다 어디에 있을까? 오죽하면 나한테 돈을 빌려달라고 할까.

사람들은 보통 잘나가던 때가 있기 마련이다. 달이 차면 기운다. 사람이든 기업이든, 가장 잘나갈 때 위기에 대비해야 한다. 전성기 때 잘 관리하지 않으면 앞으로의 미래가 어떻게 될지 모르기 때문에 항상 위험을 준비해야 한다. 그런데 사람들은 보통 잘나갈 때는 자기가 항상 그 자리에 있을 줄 알고 위세를 떨어서 인심을 잃고 만다. 그러면 그 사람이 위험에 처했을 때 아무도 도와주지 않는다. 도박했던 선배는 잘나갈 때 사람들에게 잘해줬는데도 불구하고 역시 아무도 도와주는 사람이 없었다.

하루 앞을 못 내다보는 게 사람의 일이다. 그러니 잘나간다고 위세를 떨어서도 안 되고, 지금 좀 어렵다고 기죽을 필요가 없다. 나도 얼마 전에 그런 경우를 실제로 겪은 적이 있다. 고등학교 때 열심히 공부만 하던 친구에게 공부해서 뭐 하냐고 놀렸는데, 그 친구가 지금은 판사가 되었다. 어느 날 아이들 양육 문제로 법원에 재판을 받으러 갔는데, 어쨌든 얼굴이 알려진 사람인지라 판사 얼굴을 못 바라보았다. "네" 하고 나오려고 하는데 판사가 "잠깐만요, 표영호 씨. 고향이 강원도 원주죠?" 하고 묻기에 고개를 들어봤더니 고등학교 때 놀렸던 친구였다.

내가 아는 모 제약회사 대표는 고등학교 때 말썽꾸러기 학생이었다. 친구들에게 공부 못한다고 무시당하고 말썽 피우고 그러다 보니 주변에 좋은 친구도 없었다. 그런데 이 사람이 사회에 나와서 정말 열심히 리어카를 끌면서 장사하기 시작해서 지금은 제약회사 사장이 되었다. 사람의 미래는 어떻게 될지 아무도 모르는 것이다.

    사람의 일은 한 치 앞도 못 내다보는 게 인생인데, 사람의 앞날은 아무도 모르기에 정말 잘해야 한다. 헤어지더라도 그리울 수 있게, 멀리 있더라도 보고 싶을 수 있게, 오랜만에 만나더라도 반가울 수 있게, 빗줄기에 창밖을 보면 생각나는 사람이어야 한다.

    사람에게 잘해야 한다. 사람이 재산이다.

질문력 있는 사람과
질문력 없는 사람

.

학창시절에 공부를 잘하는 아이들의 공통점은 선생님께 질문을 잘한다는 것이다. 질문을 잘하는 아이들은 수업시간이 끝날 때쯤 질문해서 다른 아이들에게 핀잔을 듣기도 하지만, 공부에 도움이 되는 답을 더 얻으려고 하는 행위는 참 대견하다. 학창시절뿐만 아니라 사회생활을 하는 데에도 질문을 잘하는 것은 매우 중요하다.

인간의 3대 욕구인 식욕, 수면욕, 성욕에 인간의 욕구 한 가지를 더 추가하라고 하면 나는 궁금욕이라고 생각한다. 남의 이야기나 문제 해결에 대한 의문점을 알고 싶어 하는 궁금욕 말이다.

내가 아는 사람 중에 박지원의 『열하일기(熱河日記)』를 읽고 그 발자취가 정말 궁금해서 박지원이 갔던 대로 여행을 다니는 사람이 있다. 왜 그렇게 가느냐고 물었더니 진짜 궁금해서 그런다고 했다. 박지원이 『열하일기』를 쓴 관점이 궁금해서 그대로 여행을 가는데 그 재미가 너무 좋고, 광활한 대륙을 보고 박지원이 썼던 이야기를 되새기면 '중국 대륙은 정말 끝이 없구나'라는 생각이 든다는 것이다.

아이들을 키우다 보면 질문을 많이 받는다. "저게 뭐야?", "가게야", "가게가 뭐야?", "물건 파는 데야", "저건 뭐야?", "휴지통이야", "저거 뭐야?"… 아이들의 많은 질문에 대답을 잘해주는 부모와 얼렁뚱땅 대답하는 부모가 있다. 중요한 것은 대답을 잘해주는 부모의 아이가 성인이 되어서도 질문을 잘한다는 것이다. 질문한다고 핀잔 듣지 않았기 때문이다. 질문을 못하는 사람들은 질문했다가 핀잔을 들어본 경험이 많은 사람일 수 있다.

질문은 그 사람의 수준을 나타내기도 한다. 그 사람의 사고방식이나 그 사람의 관심을 알아내는 척도로 사용되는 게 질문이다. 예를 들어 수업시간에 학생이 선생님에게 질문을 하면, 선생님은 그 질문한 학생의 해당 과목 학업 수준이 어느 정도인지 짐작할 수 있다. 자신의 수준이 드러날까 봐 질문하지 못하는 학생은 시간이 지나서 어른이 되어도 질문하지 못한다.

질문과 관련한 재미있는 이야기가 있다. 충청도에서 길을 물으면 어떻게 묻느냐에 따라 답이 다르다는 우스갯소리다.

"저기요, 시청을 가려면 얼마나 가야 되유?"

"한참 가야 되유."

여기서 말하는 '한참'이라는 단어는 어느 정도의 시간일까? 30분일까, 1시간일까, 2시간일까? 그런데 질문을 달리 해보자. "시청을 가려면 시간이 얼마나 걸려요?" 그러면 대답이 "한 20분 걸릴 거유"라고 나올 것이다.

이렇게 질문에 따라 답이 달라진다. 질문을 잘해야 한다.

아는 집에 놀러 갔더니 개가 짖었다. "이 집 개는 왜 이렇게 짖어요?" 하고 짜증을 냈다. 그러자 그 집 주인이 "개니까 짖지요"라고 답했다. 그런데 질문을 살짝만 다르게 해도, "개가 오늘 컨디션이 안 좋은 모양이죠"라고 나올 수 있다. "이 개는 다른 개보다 많이 짖네요?"라고 질문했다면 "우리 집 개가 극성맞아요"라는 대답을 했을 것이다.

질문은 직장에서나 비즈니스에서 매우 중요하다. 모르는 것은 죄가 되지 않으나 모르는 걸 질문하지 않는 것은 죄가 될 수 있기 때문이다. 그것이 착오를 만들어 같이 일하는 사람들에게 큰 피해를 줄 수도 있기에, 모르는 걸 질문하는 것은 피해를 줄이는 효과가 있다. 또 좋은 질문은 업무의 방향이나 성과를 좋게 하는 윤활제가 될 수 있다. 질문하지 않는 것은 내가 좀 부족해 보이지 않을까 염려되는 마음에서일 텐데, 잘 모르는 것이나 헷갈리는 것을 상사에게 질문하는 것은 일에 대한 몰입도나 성의가 있다는 의사 표현일 수 있다.

질문 잘하는 사람은 상대방의 말에 귀를 기울이는 경청을 잘하는 사람임에 틀림없다. 경청을 잘하다 보면 상대방의 이야기 도중에 궁금한 점이 생길 수 있기 때문에 질문하게 된다. 경청을 잘하는 사람은 내용의 몰입도가 높아서 적재적소에 질문하는 것이다.

TV에서도 유능한 진행자는 말을 잘하는 사람이 아니라 남의 이야기를 잘 귀담아 듣는 사람이다. 그리고 경청을 잘하면서 상대방의 말에 맞장구를 잘 맞춰주다 보니까 말하는 사람의 이야기 범위를 넓혀주게 되어 말하는 사람은 더 많은 이야기를 하게 된다.

친한 사람들이 모여서 수다를 떨 때는 서로에 대한 이해도가 높아 질문이 많기 때문에 이야기가 끊이지 않는다. 경청을 잘하는 사람은 타이밍을 잘 맞춰 끼어들어서 남의 이야기에 방해하지 않는다. 반대로 이야기 흐름과 어울리지 않는 생뚱맞은 질문을 하면, 상대는 '이 사람 뭐지? 성의 없네'라고 생각할 수 있다.

비즈니스에서 질문을 잘하면 상대는 내가 열심이라는 긍정적인 의미로 받아들인다. 반대로 질문하지 않는 사람들은 성의가 없어 보인다. 일에 대한 성의가 없으면 당연히 궁금한 것이 없다.

우리 회사는 보통 직원들과 일주일에 한 번씩 회의하고, 새로운 프로젝트가 기획될 때에는 두세 달 동안 일주일에 두세 번씩 집중적으로 회의한다. 그런데 새로운 프로젝트에 대해 질문하는 직원이 없었다. 나 혼자 브리핑하고 설명하고 업무지시를 하는 느낌이었다. 회의라는 것이 서로 의견을 교환하면서 발전적인 방향으로 안건을 끌고 가야 하는데 참 답답한 일이었다. 그래서 "왜 질문을 하지 않아요. 궁금한 것 있으면 질문하세요"라고 말해도 5분 동안 정적이 흐를 만큼 질문이 없었다. 왜 그럴까를 나는 두세 달 뒤에 알았는데, 그때 같이 회의하던 직원은 회사를 그만둘 것이기 때문에 관심이 없었던 것이었다. 그러니 질문도, 대답도, 성의도 없었던 것이다.

그럴 때 나는 직원들 다 퇴근시키고 나면 외로움이 밀려온다. 섭섭하고, 서운하고, 외로워서 퇴근하지 못하고 실의에 빠진 적이 한두 번이 아니었다. 그때 같이했던 직원들이 지금은 다 나가고 없다. 그래서 한 가지 얻은 게 있다면 일할 때 질문이 없는 직원은 머지않은 미래에 나에게 안녕을 고할 것이라는 눈치가 생겼다는 것이다.

질문을 잘하는 것은 일의 핵심에 가까워지는 것이고, 성의를 다하는 것이고, 좋은 결과를 얻어내기 위내 노력한다는 뜻이며, 같이 일하는 사람에게 신뢰를 불어넣어 주는 원동력이 된다. 질문력을 키워야 한다. 질문력은 일에 대한 관심에서 출발하며, 상대의 생각을 경청하는 것이 중요하다. 질문력 있는 사람은 사회에서 성공할 가능성이 높다. 질문은 내 무지를 알리는 것이 아니라 정보를 얻기 위한 수단이라서, 질문력은 우리가 사회생활을 하는 데 반드시 필요하다.

소통은 서로의 관심에서 출발한다. 관심은 그 사람에 대한 궁금증을 증가시키며, 궁금하면 알아가는 과정이 생기는 것이다. 서로에게 관심어린 질문이 필요하다.

화가 풀리면
인생이 풀린다

.

틱낫한 스님의 책에 이런 문구가 있다.

"화가 풀리면 인생이 풀린다."

내 인생이 아직 풀리지 않은 것은 화가 있어서인가? 요즘은 사람들을 만나면 사람들이 왠지 잔뜩 화가 나 있다는 것을 금방 알 수 있다. 조금만 건드리면 폭발할 것 같다. 보복운전, 층간소음 싸움, 충동적 폭행 등 이 모든 것들이 발생하는 이유는 우리가 화가 잔뜩 나 있기 때문이다.

왜 화가 나 있을까?

빠르게 변하는 세상 속에서 나는 뒤쳐져 있는 것 같고, 시대적으로 빠르게 경제성장하는 데에도 불구하고 나만 여유 없이 사는 것 같다 보니, 자연스럽게 화가 나고 그 화를 억제하지 못한다. 괜히 팍팍한 세상살이가 분한 것이다.

사회심리학자는 이것을 차이와 차별, 불공정과 불평등, 성에 차지 않은 대우 등을 이유로 화가 나 있다고 진단하고 있다. 배려해주고 양보해주면 마치 내가 손해 보는 듯한 마음이 든다. 운전할 때 내가 틈을 주지 않았는데 억지로 끼어들면 내 자리를 뺏기는 것 같고, 아파트 위층에서 뛰고 노는 것은 나를 배려하는 것이 아니라 무시하는 것 같고, 그런 것에 내가 손해를 본다는 생각이 드니까 사람들은 참지 못한다.

대기업을 다니는 후배가 나를 찾아왔다. 대기업 과장인데, 화가 나서 회사를 그만둬야겠다고 했다. 자기 혼자만 일하고 다른 사람은 다 얼렁뚱땅 논다는 것이다. 부장도 자기한테만 굳이 일을 더 시켜서 상대적으로 다른 직원들은 쉬고 있다는 것이다. 그러다 보니 회사에 가면 화낼 일이 아닌데도 자기도 모르게 화를 내고 있다고 한다. 그래서 내가 그건 "네가 손해 보는 게 아니라 이익을 보고 있는 거야. 네가 일을 잘하니까 너에게 일을 더 맡기는 거지. 부장이 다른 직원들이 놀고 있는데도 그 직원들에게 일을 주지 않는 것은 성과 위주의 기업에서 좋은 성과를 얻기 위해 당연한 것이야. 그러니까 너는 더 나은 이익을 얻고 있는 거지"라고 했더니, 이 후배가 "그 부장이 내 능력을 인정해서 일을 많이 시키는 거야?"라고 물었다.

그래서 내가 대답해주었다.

"네가 부장이라면 일 못하는 직원에게 일을 맡기고 싶냐?" 그러자 이 친구의 화가 많이 누그러졌다.

우리 주변에는 자기가 늘 피해를 본다고 생각하는 '피해망상증'에 걸린 사람들이 있다.

평소에 우리가 아무렇지도 않게 생각하는 것에서 피해의식을 갖기도 한다. 직장에서 점심메뉴 선택권을 한 번도 가져보지 못했다는 생각이 들어서, 연인과의 데이트 때 항상 기다린 것 같아서, 시어머니와 함께 사는 직장 맘은 시어머니가 아이를 돌봐주는데도 시어머니를 모셔서 자기가 손해라고 생각한다. 피해의식에서 생각하면 가지가지가 다 울화통이 치미는 것이다.

한 모임의 총무가 워크숍 날짜를 잡기 위해 회장과 부회장에게 토-일, 금-토 중에서 고르라고 했다. 부회장에게 먼저 물었더니 토-일이라고 대답했고, 회장에게 물었더니 금-토라고 대답했다. 결국 워크숍은 금-토로 결정되었다. 그런데 돌연 부회장이 모임에서 탈퇴했다. 의견을 물어봐 놓고 무시한 것이 화가 나 견딜 수가 없어서 탈퇴한 것이다.

취직이 안 돼서 화가 나고, 능력에 비해 연봉이 적다고 생각이 들어 화가 나고, 나를 배려해주지 않아서 화가 나고, 나의 존재를 알아주지 않아서 화가 나고…. 화날 일이 참 많다.

우리는 작은 일에도 화가 나고 화가 나면 주체를 하지 못하다. 그런데 그렇게 화가 나 있다가도 누군가의 관심 있는 따뜻한 말 한마디에 화가 눈 녹듯 녹기도 한다.

어느 날 지인으로부터 정말 생뚱맞은 문자가 왔다. "힘들지? 힘들어 보여. 힘내"라는 문자에 그동안 갖고 있던 내 몸 속의 화가 눈 녹듯이 녹아서 펑펑 운 적이 있다. 어디선가 나를 이렇게 위로하고 지지해주는 사람이 있다는 것이 나의 가득 찬 화를 녹인 것이다. 힘들고 짜증나고 화났을 때 누군가 내 이야기를 들어주는 사람이 있다면 그것 하나만으로도 위로가 된다.

화가 난다는 것은 어쩌면 욕구불만이 가득한 것이다. 화를 줄이고 화를 참아내려면 나의 욕구불만이 무엇인지 먼저 스스로 파악해야 한다. 나의 욕구불만은 무엇인가? 무엇에 갈증을 느끼는가? 그것을 알아내는 것이 화를 다스리는 기본이다. 화가 나 있는 것에 대한 최소한의 해결책은 내 욕구불만에 솔직해지는 것이다. 다른 사람의 경우에도 무엇 때문에 화가 났는지 알면 해결할 수 있다. 화를 돋우기보다 위로의 말 한마디를 해주는 사람에게 사람들이 많이 모이는 법이다.

착한 사람 콤플렉스가 있다. 외롭고 서러울 때 더 화가 잠재해가고 쌓여가는 것을 발견한다. 하지만 그것조차도 내 욕구불만이 무엇인지 알고 나면 조금 화를 누그러뜨릴 수 있다.

화가 나는 이유는 '내가 생각하기에 억울하다', '너무 불공평하다', '내가 옳다', '내 마음을 몰라준다'라는 생각이 머릿속을 지배하고 있기 때문이다. EBS 다큐프라임 〈당신이 화내는 이유〉에서 화를 잘 내는 사람은 늘 화가 대기 모드로 있다고 했다. 그러니까 원래 화를 잘

내는 사람이 있고, 화를 내고 나면 기분이 풀리는 것이 아니라 왠지 더 찜찜한 상태가 되는데 그것 또한 화가 나는 일이라는 것이다.

프로그램에서는 화가 나면 잠시만 멈춰보라고 권한다. 미국 호프스트라 대학교 심리학과 하워드 카시노브(Howard Kassinove) 교수는 화를 내면서 화내는 법을 배우듯이 화를 내지 않는 법도 배울 수 있다고 한다. 화를 감추지 않고 표현하기만 한다면 과연 우리는 누구와 소통할 수 있을까?

화가 풀리면 인생이 풀린다는 말은 스스로를 다스리자는 말이다. 나를 다스려야 타인과 소통이 가능하다.

성공한 내 모습을
상상하라

·

나는 가끔 '내가 100억을 가지고 있다'는 상상을 한다. 100억 원
이 있다는 생각에 생각을 더하다 보면 어느새 내가 진짜 부자가 된
듯한 착각에 빠져 바보처럼 기분이 좋아진다. 너무 기분이 좋은 나
머지, 친한 친구 한두 명을 불러 술을 사준다. 그러면 친한 친구들은
무슨 좋은 일 있냐고 계속 물어본다. 상상으로 부자가 된 건데 어떻
게 대답할까? 대답은 안 하고 술을 사준다. 그리고 진짜 100억 있는
사람들처럼 맛있는 음식을 친구에게 사준다. 난 그게 참 즐겁다.

그런데 상상을 좀 리얼하게 한다. 100억 원이 내 손에 있다면 무엇
부터 할까 고민해보니까, 10억 원 정도 하는 집을 하나 사고, 1년에
5% 정도 배당해주는 주식을 10억 원어치씩 3종목 사서 보유하면 1
년에 배당금이 1억 5,000만 원 정도 되고, 세금을 내고 나면 월 1,000

만 원 이상은 손에 쥘 수가 있다. 생활하는 데 아무 지장이 없는 것 아닌가?

자, 이렇게 열심히 썼는데도 지금까지 40억 원밖에 쓰지 못했다. 나머지 60억 원으로 뭐하지? 건물 하나 살까? 여기저기 건물값을 알아본다. 또 뭘 할지 고민하다가 그동안 나를 잘 따르고 도와줬던 선후배 5명을 골라 1인당 5억 원씩 준다. 내게 100억이 있는데 나를 믿고 따르고 도와준 고마운 사람에게 5억을 못 주겠는가? 남는 35억 원으로 재단을 만들어보자는 생각도 한다. 보람을 느낄 수 있도록 봉사재단을 만들면 좋을 것 같다. 그런데 가만 생각하니 괜찮고 좋은 집을 사려면 15억 원은 있어야 할 것 같다. 그러면 집값을 5억 원 올리고 30억 원으로 재단을 만들까? 망상에 가까우리만치 이런저런 상상을 하다 보면 신기하게도 기분이 참 좋아진다.

그런데 상상을 열심히 하다 보면 의문점이 생긴다. 100억 원을 어떻게 벌지? 복권으로 벌 수는 없으니, 돈 버는 방법을 연구해보게 된다. 내가 아는 사람들 중에서 급여를 저축해서 100억을 모은 사람은 한 명도 없다. 대개의 경우 사업을 하는 사람들이 100억을 갖고 있는데, 그들은 100억을 벌 것이라는 상상을 오래전부터 해왔던 사람들이다. 상상을 하다 보면 100억을 벌 사람처럼 행동하게 되고, 목표액이 정해졌기 때문에 100억을 벌기 위한 계획을 세우게 된다는 것이다.

그래서 희망적이고 즐거운 상상은 하면 할수록 좋다.

우승을 하는 프로골퍼들은 라운드 전에 이미지 라운드를 한다. 올

림픽 양궁 선수들도 대부분 상상으로 활을 쏘는 연습을 하는데, 바람의 세기나 군중의 야유까지 상상해서 이미지를 만들어가며 연습한 선수가 금메달을 딸 확률이 매우 높다.

나도 골프에서 이미지 스윙으로 68타를 친 적이 있다. 평균 타수가 85타였던 나도 놀랐고 같이 동반하는 사람들도 놀랐다. 나는 이미지 스윙을 본의 아니게 한 10년 정도 했다. 골프 프로그램을 10년 동안 진행하면서 프로들이 치는 샷을 보고 그 스윙에 내 샷을 얹어서 상상을 했는데, 어느 날 내가 68타를 친 것이다.

즐겁고 좋은 상상은 부정적인 결과보다 긍정적인 결과를 만들어낼 확률이 높다. 반대로 부정적 상상을 많이 하는 삶은 삶에 어둠이 깃들고 불행이 끊이지 않게 된다. 그러므로 100억이 있다는 상상을 자주 하면 100억을 벌 수 있는 확률이 높아지는 것이다.

물론 허황된 상상일 수도 있다. 세상의 모든 기적은 허황으로부터 시작된다고 해도 과언이 아니다. 내가 아는 100억을 가진 사람들의 대다수는 어릴 적 가난했다. 그들의 공통점은 늘 부자를 상상하고 연습했다는 것이다. 내가 원하는 것이 있다면 그것을 상상하고, 상상하다 보면 내가 무엇을 더 준비해야 하고 무엇을 더 노력해야 하는지를 스스로 알게 되고, 안다는 것은 이미 절반은 성취한 것이다. 그러므로 100억이 있다고 상상을 하라.

상상하면 행복해질 것이다. 상상하라. 현실이 될 것이다. 상상은 돈이 들지 않는 유일한 사치다. 사치 좀 부려볼까?

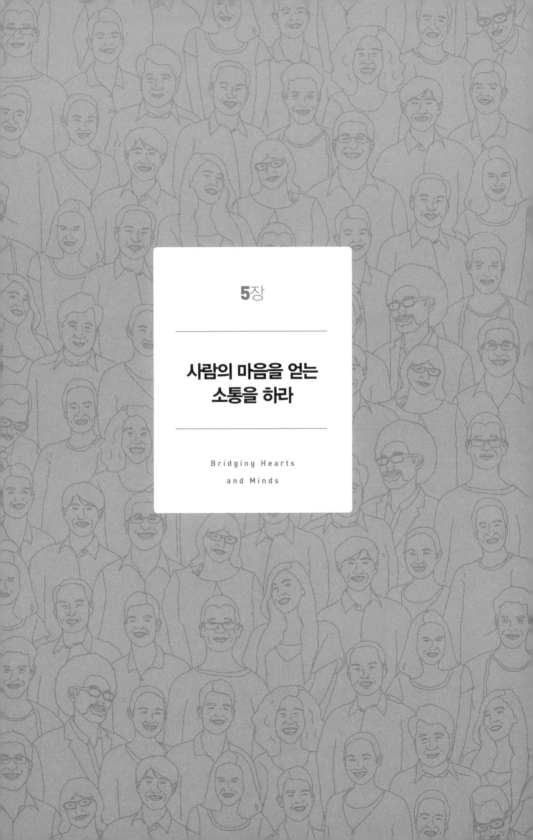

5장

사람의 마음을 얻는
소통을 하라

Bridging Hearts
and Minds

할 수 있을 때 하지 않으면
하고 싶을 때 하지 못한다

.

살아가는 데 힘이 들면 아이처럼 어머니가 그리울 때가 있다. 나이가 들어 독립했는데도, 내가 힘들다는 것을 어머니가 아신다고 해도 도와줄 수 있는 일이 아니란 걸 알면서도 힘들 땐 그냥 어머니가 보고 싶어진다.

내 고향은 강원도 정선의 함백이라는 산골 지역이다. 동네에서 개구지게 놀던 나는 골목대장이었다. 매일같이 내 또래의 아이들과 나보다 어린 아이들을 몰고 다니면서, 종이로 딱지를 접어 바닥에 있는 다른 딱지를 쳐서 뒤집으면 이기는 딱지치기, 돌을 세로로 세워 놓은 후 돌을 던져 쓰러뜨리는 돌 까기, 작은 돌을 땅 바닥에 놓고 손가락으로 튕겨서 세 번 만에 다시 돌아오는 만큼 차지하는 땅 따먹기, 나무 조각을 넣은 깡통에 구멍을 뚫고 철사 끈을 매달아 빙빙 돌리는 망우리(쥐불놀이)를 하면서 저녁 늦게까지 놀았다.

해가 지고 어둠이 내릴 무렵 우리는 서로의 얼굴을 분간하기 어려우면 신작로 길가 가로등 밑에서 놀았다. 저녁이 되었는데도 들어오지 않는 나를 어머니는 "영호아, 밥 먹어", "영호야, 밥 먹자", "막내야, 밥 먹자. 막내야, 밥 먹자" 하면서 온 동네를 찾아다니면서 부르셨다. 한창 노는 데 정신 팔려 있던 나는 어머니가 나를 부르는 소리가 듣기 싫었는데, 지금은 그 목소리가 너무 그립다. 그때는 시계를 차고 있는 아이도 없어서 몇 시인지 모르고 마냥 놀았다. 어머니가 부르는 시간이 집에 들어가는 시간이었고, 어머니가 깨우는 시간이 학교 가는 시간이었다.

저녁밥을 먹고 나면 텔레비전을 보려고 아이들은 우리 집으로 다시 모여들었다. 1977년 내가 초등학교 3학년 즈음, 내가 살던 탄광촌의 마을에는 텔레비전 있는 집이 많지 않았다. 어머니는 내가 공부하지 않고 텔레비전을 볼 때면 텔레비전의 여닫이문에 열쇠를 달아 잠가 놓기 일쑤셨다. 여름에 납량특집으로 방송되던 드라마 〈전설의 고향〉은 무서운 장면이 나와 눈을 가렸다 풀었다 하면서 봤다. 한국전쟁의 이야기를 다룬 〈전우〉, 태권도를 하는 소년 소녀가 주인공인 만화영화 〈태권동자 마루치 아라치〉, 〈원더우먼〉, 〈로보트 태권브이〉, 김일의 프로레슬링 등이 기억난다.

우리 집에는 전축도 있었다. 상표 이름은 기억나지 않지만 날개를 펴고 있는 독수리 그림이 있었다. 어머니는 음악을 참 좋아하셨고 당시 인기 있던 가수들인 조용필, 나훈아, 남진, 이미자, 배호, 함중아, 신중현 등 인기 가수의 앨범은 다 있었다. 그 당시 서울에서도 구할 수 없었던 사이먼 앤 가펑클(Simon and Garfunkel)의 「Bridge Over Troubled Water」와 같은 희귀 LP판도 꽤 있었는데, 어머니가 나를 야단치실 때마다 어머니가 아끼던 LP판을 부러뜨리거나 못으로 직직 그어 못 쓰게 만들면서 반항하기도 했다.

리어카에 엿을 싣고 다니며 쩔꺽거리는 가위 소리와 함께 "엿이요, 울릉도 호박엿이오" 하고 외치는 엿장수 아저씨가 우리 동네에 한 달에 한 번씩 찾아왔다. 그 호박엿이 너무 먹고 싶었던 나는 집에 있는 LP판을 하나씩 가져가 바꿔 먹었다. 열 살 차이가 나는 형은 나를 귀여워하지 않고 자주 때렸는데, LP판으로 엿을 사먹은 것을 알게 된 어머니가 형에게 일러서 엄청 맞았던 기억도 아련하다.

어머니는 형한테 이르기는 했지만 맞는 나를 보고 너무 마음 아프셨던지, 그 후로 가끔 아버지가 마신 소주 빈 병을 모아두었다가 엿장수가 오면 엿으로 바꿔서 내가 학교 다녀오면 슬쩍 내 손에 엿을 쥐어주며 "좋아?" 하셨다.

말썽을 많이 피우지는 않았지만 내 인생을 바꿔놓을 만큼 기억에 남은 사건이 있다. 나는 돌을 던져 멀리 있는 사물을 맞추는 데 아주 탁월한 능력이 있었다. 깡통을 세워 놓고 10m 밖에서 돌을 던지면 10개 중 8개는 명중이었다. 아이들과 싸울 때에도 힘으로 안 되면 돌을 던져 이기기도 해서 아이들은 내가 조그만 짱돌을 들면 모두들

무서워했다. 그러던 어느 날 외지에서 스물두서너 살 된 청년이 와서, 동네 아이들이 그 청년의 부하처럼 되었다.

동네에는 돈 통 하나가 달랑 있는 조그만 구멍가게가 하나 있었다. 그런데 그 구멍가게의 돈 통이 없어졌다. 간밤에 도둑이 들어 돈 통을 통째로 들고 간 것이다. 파출소 경찰이 조사해서 그 청년을 잡았는데, 그 청년이 파출소에서 자기가 그런 게 아니고 영호가 훔쳐갔을 거라고 말했다는 것이다. 그때만 해도 조사를 깊게 하지 않고 그냥 눈치와 진술로 범인을 잡아 벌을 주기도 했던 시절이라 나는 억울하기 그지없었다. 문제는 내가 골목대장 노릇을 하고 밤늦게까지 숨바꼭질을 하고 놀아서 그런지 온 동네 사람들이 그 도둑을 나라고 여겼다는 것이다.

이유 없이 파출소에 가서 혼나고 동네 사람들에겐 도둑이라는 누명을 쓰면서 나는 너무 억울했다. 파출소를 나오며 어머니가 물었다.

"영호야, 물건을 훔친 것보다 더 나쁜 건 거짓말을 하는 것이란다. 거짓말은 너 자신을 속이는 것이니까 제일 나쁜 짓이야. 엄마 눈 보고 얘기해봐. 네가 훔쳤는지 안 훔쳤는지."

나는 엄마의 눈을 한참 쳐다본 후 울면서 말했다.

"엄마, 나는 진짜 안 훔쳤어."

엄마는 나를 와락 끌어안았다. 한참을 끌어안고 있다가 놓아주시며 말씀하셨다.

"그래? 그럼 됐다. 훔치지 않았으면 됐어. 너만 떳떳하면 됐다. 엄마는 우리 막내를 진짜 믿는다."

집에 오는 십 리가 넘는 길을 아무 말씀 없이 앞서 걸으시는 어머니를 따라 두세 걸음 떨어져 걸으면서 나는 생각했다. '나만 떳떳하면 되는 것이 아니라 증명해야 한다. 증명해야 한다.'

그 사건 이후에 일주일 동안 나는 밖에 나가서 놀지도 못하고, 학교를 오갈 때 고개를 숙이고 다녔다. 너무 억울하고 답답해서 견딜 수가 없었다. 나는 함께 개구지게 놀던 친구 기현이에게 범인을 우리 손으로 잡자고 제안했다. 우리는 그날부터 돈을 많이 쓰는 아이, 우리와 함께 놀다가 잘 안 노는 아이 등, 행동이 조금 이상한 아이를 대상으로 조사를 했다. 그러다가 그 청년 형이 아이들에게 아이스크림을 사주는 것을 보았고, 그런 것이 며칠 째 계속되던 어느 날, 그 형의 집 창고를 뒤져서 한쪽 구석에 곱게 숨겨진 돈 통을 찾아내었다.

우리는 그 길로 구멍가게 주인한테 뛰어갔다.

"도둑을 잡았어요! 도둑을 잡았어요!" 하면서 뛰어가서 구멍가게 주인을 그 창고로 데려가 돈 통을 보여주었다. 그 청년은 파출소로 붙잡혀갔지만 가게 주인의 용서로 훈방조치 되었고 나는 도둑이라는 누명을 벗을 수 있었다.

파출소에서 어머니를 찾아와 사과했고, 구멍가게 주인은 수박을 들고 우리 집에 찾아와 "영호를 의심해서 미안합니다"라고 사과했다. 어머니는 그 주인에게 말했다. "함부로 사람을 의심하셔도 안 되며 모함해서도 안 됩니다. 특히 어린 아이들은 더 그렇습니다. 오해가 풀리지 않았다면 우리 아이는 평생 스스로 도둑이라는 누명에 억울함을 가지고 살았을지도 모릅니다. 우리 영호에게 사과하시면 됩니다."

아주머니는 나에게 "영호야, 미안하다" 하시면서 내가 제일 좋아하는 라면 땅 과자를 두 봉지 주셨다.

그동안의 일을 아무것도 모르던 아버지는 어머니께 자식을 어떻게 가르치기에 의심을 받고 자라게 하냐며 되레 핀잔을 주고 나무라셨지만, 어머니는 그날 밤 나를 끌어안고 주무시면서 "막내야, 고맙다"라고 하셨다.

어느 부모가 자기 자식을 믿지 않겠는가? 그래도 나는 나를 믿어준 어머니가 너무 고마웠다. 동네 사람들이 범인을 잡기 전까지 내게 보냈던 눈초리들, 괜히 자식 잘못 키워서 별일을 다 겪네 하시면서 속으로 울었을 어머니, 그럼에도 불구하고 나를 믿어주신 행동들이 어쩌면 나를 성숙하게 만든 시작이었을지 모른다.

강원도 탄광촌의 산골 지역 함백이라는 촌에서 원주라는 도시로 유학을 가려면 나름 성적이 좋아야 시험을 치게 해준다. 중3 시절의 성적이 좋지는 않았지만 나는 원주로 나가겠다고 큰소리쳤고, 결국 원주로 갔다. 원주에서 하숙과 자취를 하며 고등학교 3년을 보낸 후 다시 서울로 대학을 가겠다고 했을 때, 우리 형은 기술을 배워 직장에 취직하라고 했다.

그럴 땐 늘 어머니가 옆에서 거들어줬다. "영호는 뭘 해도 잘하는 애니까 지가 하고 싶은 대로 하게 두자.""영호야, 하고 싶은 거 해. 할 수 있을 때 못하면 하고 싶어도 못해."

내가 개그맨이 되겠다고 마음먹고 개그맨 콘테스트에 응시해서 매번 떨어질 때마다 형은 내가 답답했던지, "영호야, 너는 말도 잘하고 사람을 잘 사귀니까 자동차 영업사원을 하는 게 나을 것 같아"라고 채근을 했다. 그럴 때도 어머니는 "영호야, 하고 싶은 거 할 수 있을 때 해. 지금이 아니면 하고 싶을 때 못해" 하셨다.

살아가면서 힘이 들고 그만두고 싶을 때마다 나는 어머니가 그립다. 내게 용기를 주셨고 믿어 주셨던 어머니의 존재 자체가 내겐 큰 에너지였다.

그런데 정작 나는 할 수 있을 때 못한 것이 있다. 효도다. 지금은 하고 싶어도 할 수 없게 됐다. 어머니가 그토록 내게 하셨던 말씀 중에 "할 수 있을 때 하지 않으면 하고 싶을 땐 하지 못한다"라는 말씀이 이렇게 사무치게 와 닿는 것은 어쩌면 내가 불효자이기 때문이다.

잘되고 성공한 사람들의 공통점이 있는데 그들은 모두 효자라는 것이다. 연예인도, 사업가도, 직장인도 성공한 사람들을 가만히 들여다보면 모두 효자다.

내가 설립하고 운영하는 최고위 과정의 성공한 리더들만 보아도 참 효자가 많다. 건설업과 웨딩사업을 하는 최재순 총동문회장은 상당히 성공한 기업가로서 잠을 못 자며 스케줄을 소화하고 있고, 온갖 모임에도 바쁘다는 핑계로 빠지는 법이 없다. 새벽 6시에 일과가 시작이 되면 밤 12시가 넘어야 끝나는 일상이 매일 반복된다. 하지만 그 와중에도 주말이 되면 어김없이 시골의 처갓집과 본가를 번갈아 오가며 어르신들 목욕을 손수 시켜 드린다.

"바쁘신데 매주 그렇게 다녀오실 수 있으세요?" 하고 물었더니 "내가 가서 목욕시켜 드리면 아주 좋아하셔. 그래서 가는 거지"라고 대답한다.

구순이 되신 아버님을 뵈러 매주 고향에 가는 아크릴 디자인업체 메자인의 한명윤 대표는 "사업을 시작하면서 아무리 바빠도 꼭 다녀와야 일이 손에 잡힌다"고 하고, 공조 시스템을 설치하는 사업으로 크게 성공한 에이테크엔지니어링의 김도영 대표는 "부모에게 못하는 놈이 잘될 리가 없다"고 하고, 해운 사업을 하는 파나케미칼의 라기주 대표는 장모님을 하느님 대하듯 한다. 정말 성공한 사람들은 효자가 많다.

효자가 아니면 사실상 성공하기 어렵다. 하늘은 우리를 다 보고 있는 듯하다.

어디 효자가 성공하는 것이 사업가뿐이겠는가? 개그맨 박명수는 아버지께 포클레인 사드린다고 그렇게 악착같이 기를 쓰고 방송을 했고, MC 이휘재도 아버지 말씀이라면 죽는 시늉이라도 할 정도로 아버지에게 모든 마음이 쏠려 있고, 유재석도 결혼하고도 독립하지 않고 부모님을 모시고 살았다.

그러나 나는 참 불효자다. 어머니 임종도 지켜보질 못했고 아버지

임종도 지켜보질 못했다. 아버지에게 약간의 치매가 왔을 때 아버지를 잘 모시질 못했고, 어머니가 시간 있을 때 집에 와서 얼굴 좀 보여달라고 할 때도 그 알량한 스케줄에 밀려 잘 가지 못했다. 불효자는 부모님을 모두 잃고 나서 반드시 후회한다. 후회할 거면서 왜 할 수 있을 때 하지 않았는가? 어쩌면 내가 성공하지 못한 것은 하늘의 이치로서 당연한 것인지도 모른다.

할 수 있을 때 하지 않으면 하고 싶을 때 하지 못하는 것이 효도만은 아니다. 지금 주어진 일을 대충 하거나 최선을 다하지 않으면 다시는 그 기회가 오지 않을 것이며, 기회가 오지 않을 땐 하고 싶어도 할 수가 없을 것이다.

지금 사랑하는 사람에게 최선을 다해 사랑해주어야 한다. 지금 하는 일에 최선을 다해야 무능이 생기지 않는다. 여행하고 싶을 때 미루면 다시는 가지 못할 수도 있다. 무슨 일이든 할 수 있을 때 해야 한다.

아인슈타인(Albert Einstein)은 이렇게 말했다.

"어제와 똑같은 행동을 하면서 다른 내일을 기대하는 것은 정신병 초기 증세다."

두 개의 화살을
갖지 말라

.

『탈무드(Talmud)』에 보면 "두 개의 화살을 갖지 말라. 두 번째 화살이 있기 때문에 첫 번째 화살에 집중하지 않게 된다"는 글이 있다. 나는 이 말을 선택과 집중의 측면으로 해석했다. 두 개의 화살, 또는 세 개의 화살을 갖고 있는 것은 물론 좋은 일이다. 하지만 인생의 승부를 걸 만한 하나의 화살을 발견했다면 나머지 하나를 내려놓고 거기에 승부를 걸어야 한다. 두 번째 화살이 있다면 실패해도 갈 데가 있다는 생각에 자칫 안이해질 수 있고, 그래서 첫 번째 화살에 최선을 다하지 않을 수 있다는 충고다.

화살에 관해서라면 또 하나 기억나는 용어가 중석몰촉(中石沒鏃)이다. 사마천(司馬遷)의 『사기(史記)』 이장군열전(李將軍列傳)에 보면 이광(李廣)이라는 명궁의 이야기가 나온다. 이광은 우북평군의 태수로 부임해서 사냥을 나갔다가 숲에 있는 호랑이를 발견하고 화살을 쏘았다. 화살은 호랑이에게 명중하여 화살촉이 깊숙이 박혔는데, 다가가서 보니 호랑이가 아니라 호랑이를 닮은 바위였다. 화살이 바위를 뚫은 것이다. 그 사실이 믿기지 않아 다시 한 번 바위를 향해 화살을 쏘아보았지만, 이번에는 화살이 바위를 뚫지 못하고 튕겨져 나갔다. 여기에서 나온 말이 중석몰촉이다. 돌 한가운데 화살촉이 깊이 박힌다는 뜻으로, 정신을 집중해서 온 힘을 다하면 어떤 일도 이룰 수 있다는 말이다.

시인 정호승은 산문집 『내 인생에 용기가 되어준 한 마디』에서 "활쏘기를 처음 배우는 사람은 두 개의 화살을 갖지 말라"고 했다. 활쏘기는 고도의 집중력을 필요로 하는데 두 번째 화살이 있어 첫 번째 화살에 집중하기 어렵기 때문이다. 이것이 마지막 기회라는 마음으로 최선을 다해야 성공할 수 있다. 정신일도 하사불성(精神一到 何事不成)이라는 말이 있는데, '정신을 한곳에 모으면 무슨 일인들 이루어지지 않겠는가'라는 뜻이다. 우리가 여러 가지 일을 벌이면서도 성공하지 못하는 것은 그 일이 어렵고 힘들어서가 아니라 우리가 그 일에 온 정신과 마음을 하나로 모아서 쏟아붓지 못해서일 것이다.

명품 연기를 하는 명배우가 두 작품에 동시에 출연하지 않는 이유가 있다. 명배우는 다음 작품을 생각하면서 지금 배역을 연기하지 않는다. 지금 맡은 배역에 올인하는 것이 오히려 다음 작품을 또 할 수 있는 배경이 된다.

나는 대학 다닐 때 영화과 교수님께 물어보았다.

"아니, 영화배우는 왜 TV에 안 나와요?" 그랬더니 교수님께서는 이렇게 대답하셨다. "영화는 돈 주고 보는데, 영화배우가 TV 드라마에 출연하면 그다음에는 그 배우가 나오는 영화는 돈 내고 보기가 아까워서"라고 위트 있게 답하셨던 기억이 난다.

영화배우 류승범은 드라마를 하지 않는 이유에 대해서 "자유롭게 연기하지 못하니까"라고 말했고, 국민배우 안성기도 같은 시기에 두 작품을 하지 않은 이유는 "집중을 하지 못할까 봐"라고 했다. 이유야 어찌 되었든 한 가지에 몰두하는 사람이 그 분야에서 성공할 확률이 높아지는 것은 당연한 사실이다. 선택지가 많다는 것은 그만큼 집중할 수 없고, 따라서 성공확률이 떨어진다는 것이다. 생각해보라. 오지선다형 문제에서는 하나를 골라잡을 때 맞힐 확률이 20%지만, 둘 중 하나를 고르는 문제에서라면 맞힐 확률이 50% 아닌가? 이것저것 여러 가지를 손에 들고 고민하는 것보다 선택한 한 가지에 집중하는 편이 훨씬 낫다.

국회의원 선거에서 떨어진 후에 특별히 할 게 없는 사람들은 정말 목숨 걸고 선거운동을 한다. 변호사가 국회의원 선거에서 떨어지면 변호사 하면 되고, 교수가 떨어지면 교수 하면 된다. 그런데 자기 직업이 명확치 않은 사람이 국회의원 선거에 출마하면 선거운동을 목숨 걸고 한다. 떨어지면 할 게 없기 때문이다. 그래서 오히려 그렇게 떨어지고 나면 할 일이 없는 정치인들은 열심히 선거운동을 하니까 당선될 가능성이 높다. 하나에 집중해서 죽기 살기로 해야 한다. 죽기 살기로 하면 안 되는 일보다 되는 일이 많은 것은 당연하다.

이것 아니면 저것, 저것 아니면 이것, 이런 생각으로는 안 된다. 채용 면접을 보면 이력서가 대여섯 페이지가 나올 정도로 꽉 찬 구직자가 많다. 스펙도 많고 이직 경력도 많다. 그러니까 한 것은 많은데 제대로 한 것은 없는 것이다.

청년만 그런 것이 아니라 100세 시대가 되어서 그런지 나처럼 중년이 되어도 하나에 집중을 못하고 왔다 갔다 하는 경우가 있다. 나이가 들어도 하고 싶은 것이 많아서인지 이것저것 기웃거리게 된다. 그러니 어느 것 하나 잘하는 것이 없고, 누가 뭐가 잘된다 하면 그것이 눈에 들어온다. 그러면서도 이루어 놓은 것이 없는 현실을 가만히 보면 마음이 참 허전하다.

우선순위를 두어야 한다.

"회사 잘리면 장사나 하지 뭐."

"하다가 안 되면 아버지 회사에 취직하지 뭐."

이런 사람들은 어떤 새로운 것을 한다고 하더라도 성공할 가능성이 희박하다. 저것을 하다가도 안 되면 '그걸 하지 뭐' 하고 또 바꾼다. 명함이 여럿인 사람은 정말 능력이 뛰어난 사람 아니면 이것저것 되는 게 없어서 다 건드려보는 사람일 것이다. 여러분은 어디에 해당되는가?

지금은 어디서 뭐하는지 모르지만 한때 내 매니저 역할을 하면서 따라다닌 친구가 있었다. 5년 동안 직업이 12번 바뀌었다. 내 매니저 3개월 하고 쉬다가 다시 5개월, 수영강사 1년, 군대에서 딴 태권도 1단을 바탕으로 3단을 따서 사범 한다고 3개월, 근육 뭉친 사람이 많으니 마사지 배우면 돈이 될 것 같다고 배우러 다니길 5개월, 다시 내 매니저 3개월, 동대문 옷 장사 6개월, 국수집 차린다고 6개월….

무려 12번이나 직업을 바꿨지만 뭐 하나 제대로 집중해서 한 적이 없다. 이런 친구를 가리켜 못하는 게 없는 친구라고 해서 '팔방미인'이라고 하지만, 실은 잘하는 게 하나도 없는 친구다. 이때 이 친구 나이가 40대 초반이었는데, 지금쯤은 자리 잡고 한 가지 일을 잘하고 있으면 좋겠다.

두 개의 화살을 갖는다는 것은 어떤 어려움을 대비하는 측면에서는 좋다. 한 가지 실패해도 남은 하나가 있어서 마음이 편할 수도 있다. 그러나 남은 하나가 있다는 안일함에 첫 번째 일에 또는 지금 하고 있는 일에 올인하지 못한다면, 반드시 다음 일에도 실패할 가능성이 크다는 사실을 명심해야 한다.

내가 아주 탐을 내는, 회사 밖의 파트너에게 우리 회사로 들어와서 나랑 재미있는 프로젝트를 만들어보자고 제의했는데, 보기 좋게 거절당했다. 그는 6개월간 미친 듯이 일에 몰두해서 성과를 내고 있었다. 이 정도의 열정과 몰입이라면 내가 미처 하지 못했던 프로젝트를 둘이 힘을 합치면 잘 해낼 수 있다는 확신이 들어 제안한 것이다.

사실은 우리 회사 직원들에게 업무지시를 내렸는데 1년이 다 되어도 일이 진행되지 않는 답답한 상황이었기에, 나는 이 파트너가 절실하게 필요했고 직원들에게도 뭔가를 보여주며 동기부여를 해주고 싶었다. 그런데 거절당한 것이다. 거절한 이유는 본인이 지금 하고 있는 일에 몰두하고 싶고, 다른 것을 하더라도 하나라도 이뤄놓은 후에 하고 싶다는 것이었다. 너무 아까운 인재라 나는 그를 존중해주었다.

뭘 해야 할지, 뭐부터 해야 할지 모르겠는가? 그렇다면 지금 당신이 하고 있는 일에 몰입하라. 그것이 바로 당신이 할 일이다.

건처재우락하자

.

인생에서 성공한 사람의 기준이 뭘까?

어떤 삶을 살면 성공한 사람이라고 할 수 있을까? 돈을 많이 번 사람? 권력을 많이 누린 사람? 인덕(人德)이 많아 따르는 사람이 많은 사람? 자식들이 다 잘되어서 자식자랑 할 수 있는 사람? 과연 어떤 사람이 성공한 사람일까? 자기가 목표한 것을 이루고 그것이 행복으로 귀결된다면 성공했다고 나는 정의한다. 그렇다면 나는 행복한 사람인가? 이러한 질문에 스스로 답을 내리고 정의를 내려본 적이 있는가?

옛날에는 사람이 살아가면서 가지면 행복하다고 여겨지는 다섯 가지 복을 오복(五福)이라고 했다. 그리고 그 오복을 모두 가진 사람을 성공한 사람 또는 행복한 사람이라고 했다. 중국 유교 3대 경전 중 하나인 『서경(書經)』 홍범(洪範) 편에는 오복을 수, 부, 강녕, 유호덕, 고종명이라고 했다. 첫째는 수(壽)다. 장수하는 것이 복이라고 했다. 평균 수명이 80세를 넘어가고 100세 시대를 향해 가고 있으니 요즘 사람들은 대부분 이 복은 누리고 있다.

두 번째가 부(富)다. 살아가는 데 불편하지 않을 만큼 풍요로운 것이 복이라 했다. 요즘 사람들이 불행하다고 느끼는 이유 중에는 이 두 번째가 충족되지 않은 이유가 큰 것 같다. 흙수저니 금수저니 하는 자조 섞인 용어들이 나올 만큼 요즘에는 부의 분배가 공평하지 않아서 불행하다고 느낀다.

세 번째가 강녕(康寧)이다. 육체적이나 정신적으로 편안한 것, 즉 몸도 마음도 편안하고 건강한 것을 말한다. 건강하게 사는 것이 복이란다. 이것은 지금도 그렇다. 네 번째가 유호덕(攸好德)이다. 남에게 선행을 베풀어 덕을 쌓는 것, 즉 자기만 아는 것이 아니라 다른 사람에게 베풀어 덕을 쌓는 것도 복이라는 것이다. 베풀고 덕을 쌓는 것이 꼭 재물만을 뜻하지는 않는다. 우리가 남에게 베풀 수 있는 것은 의외로 많다. 봉사활동을 자주 하는 것 역시 베풀고 사는 삶의 한 방향이다. 다섯 번째가 고종명(考終命)이다. 질병 없이 살다가 고통 없이 편안하게 일생을 마치는 것을 말한다.

그렇다면 사람들은 어떤 기준으로 성공한 사람, 행복한 사람을 나눌 수 있을까?

어떤 선배가 나에게 이야기하길, "송해 선생님은 행복한 사람이기도 하고 성공한 사람이기도 하다. 그 이유는 건처재우락했기 때문이다"라고 했다.

건처재우락(健妻財友樂)은 성공한 사람이면 이 정도는 갖추고 있어야 한다는 것을 한 글자씩 따서 만든 단어다. 성공한 사람, 행복한 사람이 되기 위해서는 첫째는 건(健), 즉 건강해야 한다. 건강할 뿐만 아니라 건강을 잘 유지해야 한다. 송해 선생님은 1927년생이니 90세가 되었음에도 불구하고, 아직도 〈전국노래자랑〉의 사회를 타의 추종을 불허할 만큼 잘하고 계신다. 우리나라뿐 아니라 세계에서도 최고령 사회자이실 것이다. 송해 선생님은 지금도 하루에 소주 한 병씩 마시는데, 젊은 개그맨들 못지않게 펄펄 나는 활동을 하고 계신다.

둘째는 처(妻), 즉 배우자가 있어야 한다는 것이다. 배우자는 같은 날 결혼해서 동시에 자녀를 얻고, 동시에 손주들을 얻고, 동시에 집을 사는 등 결혼 이후의 생에서 모든 일을 같이하는 친구이자 동지다. 지난 일들을 소곤대며 이야기 나눌 수 있고, 아프면 어디가 아프냐고 물어봐줄 수 있는 가장 친한 친구인 셈이다. 그래서 배우자의 사망은 남은 배우자의 면역력까지 약화시킨다. 배우자가 사망한 후 남은 배우자도 몇 년 버티지 못하고 사망하는 경우가 종종 있다. 이것은 우연의 일치가 아니라 배우자의 사망이 큰 스트레스 요인이 되어 면역력을 떨어뜨리기 때문이다. 영국 버밍엄 대학교의 재닛 로드(Janet Lord) 박사가 이끄는 연구팀의 연구 결과에 의하면, 배우자 사별로 우울증과 스트레스 지수가 증가하면 혈액 속에 존재하면서 폐렴

등의 바이러스성 감염에 맞서 싸우는 호중성 백혈구의 활동이 저하된다고 한다.

미국의 심리학자인 토머스 홈스(Thomas Holmes) 박사와 리처드 라헤(Richard Rahe) 박사의 연구에 따르면, 배우자 사망으로 인한 스트레스는 100점 만점에 100점으로 이혼(73점)을 하거나, 구속(63점) 및 해고(47점)를 당했을 때보다 컸다. 게다가 남성이 아내와 사별하거나 이혼하면 혼인 생활을 유지하는 남성보다 일찍 사망한다고 한다. 보험연구원이 25~64살 남성의 혼인 상태에 따른 사망률을 분석한 결과, 아내와 사별한 남성이 사망한 경우는 인구 1,000명당 13.2명으로, 배우자가 있는 남성의 4.2배였다. 이혼한 남성의 사망은 1,000명당 8.7명으로 이혼하지 않은 남성의 2.7배였다.

또한 젊을수록 이혼이 사망에 미치는 영향이 컸는데, 25~34살 남성으로 범위를 좁히면 이혼한 사람의 사망률이 배우자가 있는 사람의 12.2배까지 증가한다고 한다. 이 정도면 성공한 삶, 행복한 삶에 왜 배우자가 필요한지 절실히 알고도 남을 것이다. 부부가 함께 살고 있는 분들은 배우자의 고마움을 알고 부부간 소통을 통해 행복을 최대한으로 증대시키실 바란다.

재(財)는 살아가면서 필요한 만큼의 재물이 적당히 있어야 한다는 것이다.

우(友), 세상을 살아가면서 친구가 없다면 꽝인 인생이다. 송해 선생님은 한 달에 한 번씩 선후배들을 모아놓고 밥을 사주신다. 후배들과 좋은 이야기들을 나누면서 함께 밥을 먹고 술도 한잔씩 나누신다. 그리고 이렇게 말씀하신다고 한다. "이번 달도 너희들과 밥을 먹어서 행복하다. 좋은 친구들을 두어서 나는 행복하다."

낙(樂)은 사(社)와 일맥상통하는 말로, 즐겁게 할 수 있는 일이 있어야 한다는 것이다. 살아가면서 즐겁게 할 일이 있어야 하고, 기왕이면 나이 들어 죽는 그날까지 일할 수 있으면 행복하다. 평균 수명이 80세를 넘어 100세 시대를 향해 가고 있지만, 많은 직장에서 60세 전에 정년으로 사람들을 직장 밖으로 내보낸다. 그러다 보니 요즘은 정년이 지나도 청년이다. 그런데 장년들의 일자리는 형편없이 적다. 일이 있다는 것은 경제적 고민과 외로움의 고민을 해결할 수 있는 유일한 것이다.

그러니 건처재우락 다섯 가지를 다 갖춘 송해 선생은 행복한 사람이다.

살다 보면 이 다섯 가지 중 몇 가지를 놓치는 경우가 허다하게 있다. 젊었을 때 건강하다고 술을 많이 마셔서 나이 들어 몸이 좀 불편하다든지, 내가 가진 게 많다고 친구를 업신여겨서 친구가 없다든지, 일을 게을리해서 일이 일찍 끊겼다든지, 사랑하는 사람이 없다든지 하는 것이다. 이 다섯 가지 중 하나라도 놓친 것이 있는지 한 번쯤 살펴보자. 내가 지금 무엇을 놓치고 있는지, 지금은 갖고 있지만 자칫 놓칠 위험이 있는 것은 없는지 주의 깊게 살펴볼 필요가 있다.

어느 날 갑자기 삶과 죽음에 대해 생각해보니 끔찍했다. 기왕에 죽을 거라면 오늘 하루라도 행복하게 살고 싶다는 생각을 했다. 인생은 B(Birth) to D(Death)라고 한다. 누구나 태어나서 죽지만, 그 사이에 C가 있다. 바로 선택, Choice 말이다. 누구나 태어나서 죽지만, 어떻게 죽음까지 가는가는 우리의 선택에 달려 있다. 사랑하는 사람들과 잘 소통하면서 행복하게 살다가 죽는 삶, 그런 삶이 되어야 하지 않겠는가.

인연은 우연일지라도
관계는 노력이다

·

사람들은 상대와 대화를 나누고 상대를 좀 알게 되면 소통했다고 생각한다. 하지만 우리가 상대를 이해했다고 생각하는 순간, 오히려 오해가 시작된다. 자기 프레임을 통해 상대방을 바라보기 시작하기 때문이다. 상대에 관해 조금 알게 된 것이 결코 그를 모두 아는 것은 아니며, 상대방과 제대로 소통한 것은 더더욱 아니다. 소통은 대화하고 상대를 아는 데서 끝나는 것이 아니라 상대가 불편하지 않도록 배려까지 해주는 것이다.

우리가 평생 동안 한 번이라도 인사를 나누고 알게 되는 사람이 몇 명이나 될까? 개인적으로 잘 알고 지내는 사이뿐만 아니라 일반적으로 사회생활을 하면서 명함을 주고받고 악수 한 번 하고 휴대폰에 번호가 저장된 사람들을 포함해서 말이다.

45세 기준으로 직장생활을 하는 사람들의 경우가 약 500명 정도다. 나름 사회활동을 빈번하게 한다고 하는 사람이 1,500명 정도이고, 오지랖 넓게 여기저기 누비고 다닌 사람이 7,000명 정도라고 한다. 나는 내 휴대폰에 번호가 저장된 사람이 8,000명 정도 된다.

사람들에게 "알고 지내는 사이 정도 되는 사람이 몇 명이나 되세요?" 하고 물으면 초등학교 동창, 중학교 동창부터 시작해서 고등학교 동창에 대학교 동창, 직장에서 알게 된 사람, 친척에 친구들까지 통틀어 말한다. 그중에서 휴대폰에 저장된 사람은 100분의 1 정도다. 그렇다면 아주 단순히 계산해서 휴대폰 전화번호부에 저장된 사람들 숫자의 100배 정도 되는 사람을 알고 지낸다고 보면 된다. 하지만 따져보면 우리의 인간관계는 그보다 훨씬 더 좁다. 자신의 휴대폰에 저장된 사람과 1년 동안 몇 사람에게, 몇 번이나 연락을 하는가? 물론 하루가 멀다 하고 연락을 주고받는 사람들도 꽤 있겠지만, 1년 내내 한 번도 연락하지 않는 사람들도 많이 있을 것이다.

나는 1년에 2,000명 정도에게 문자, 전화, 카톡 등으로 연락한다. 이 이야기를 하는 것은 우리가 알고 지내고, 인지하고 지내는 사람들이 각자 적어도 1,000명은 넘는다는 것이다. 그렇게 많은 사람들과 소통을 다 할 수는 없다. 하지만 자주 만나는 사람이나 자주 만날 수밖에 없는 사람이 있다. 그런 사람들과의 관계는 정말 화끈하게 갖는 게 좋다. 소통을 화끈하게 하라는 것이다.

자주 만나는 사람들과 화끈하게 관계를 가지라는 말은 저녁 먹기로 약속했다면 대충 밥만 먹고 헤어지지 말라는 것이다. 저녁을 같이 먹었다는 의미 외에 더 이상 관계의 진전이 없었다면 화끈하게 소통한 것이 아니다. '화끈하게'라는 말은 누가 먼저 약속을 잡았느냐가 아니라 그 사람과 얼마나 깊게 관계를 가졌느냐는 것이다. 속 깊은 이야기를 하고, 비밀 이야기를 털어놓고, 진짜 고민거리를 함께 의논할 수 있는 깊은 관계로 발전하려면, 진심과 정성을 다해야 한다. 서로가 진심과 정성을 느낀다면 점점 화끈한 소통으로 흐를 수밖에 없다.

내 후배 중에 SK그룹에서 일하는 이일우라는 후배가 있는데, 이 친구는 전국적으로 모르는 사람이 없다고 할 정도로 발이 엄청나게 넓다. 어느 한두 사람과 만나서 저녁을 먹거나 소주를 한잔 하더라도 그는 상대방에게 자기를 있는 그대로 보여주려고 노력한다. 가식이 전혀 없이 상대에게 집중하고 정성을 다해 이야기를 나눈다. 그와 대화를 나눠보면 그런 것이 느껴진다. 이 후배는 전국의 다양한 직군의 사람들과 친하게 지내다 보니 몸이 부족할 정도로 너무 바쁘다.

이렇게 바쁜 와중에도 후배는 좋은 인맥을 형성하기 위해 단 하나의 약속도 놓치지 않는다. 하루는 경기도 이천에서 6시에 퇴근해서 7시 반에 서울의 약속 장소에 와서 그때부터 9시 반까지 저녁을 먹으며 술을 마신다. 다시 기차를 타고 대구로 간다. 대구에 가면 12시가 된다. 그때부터 새벽 1시 반, 2시까지 그 사람들과 소통을 한다.

이 후배의 집은 이천도 서울도 대구도 아닌 청주다. 대구에서 늦게까지 있다가 2시에 출발해서 집에 가면 새벽 4시라고 한다. 그리고 두 시간 자고 아침 6시에 출근을 하는 것이다. 이렇게 하루를 보내고 출근하면 힘들어서 회사 일을 잘 못할 것 같지만 회사 내에서는 철두철미하게 일을 잘해서 사람들이 혀를 내두를 정도다.

그런 와중에 주말이 되면 가족과 낚시도 가고, 등산도 가고, 아내의 생일파티도 해주는 등 가족들에게도 최선을 다한다. 그야말로 모든 사람들과 화끈하게 소통하는 것이다. 그에게는 이렇게 사람들과 만나서 어울리는 시간들이 진심으로 행복하다. 친구들이건 가족들이건 사랑하는 사람들과 함께 밥 먹는 시간이 행복하고, 회사와 가정을 위해서 일하고 잠자는 시간이 행복하고, 친구·동료·가족·지인과 노는 시간이 행복하다. 이렇게 매일 바쁘게 돌아가는 일상이 해야 할 의무가 아니라 하루하루를 엮어나가는 일상의 작은 행복인 것이다. 그래서 이런 바쁜 스케줄에도 웃으면서 모든 사람에게 최선을 다해 소통할 수 있다고 한다.

그렇다면 후배는 술 마시고 사람들과 어울리느라고 자기 계발을 열심히 못하지 않았을까? 놀랍게도 그는 그렇게 살면서도 열심히 공부해서 박사학위를 받았다. 이 사람은 공부와도 화끈하게 소통했고, 가족들과도 지인들과도 화끈하게 소통했다. 그래서 신뢰도가 굉장히 높은 것이다. 이 사람은 쓸데없는 말을 하지 않는다. 그를 만나는 사람 대다수가 이일우의 팬이 된다. 인간적 관계의 팬 말이다. 기왕에 할 소통이라면 이렇게 깊고 화끈하게 정성을 다해야 내 사람을 얻을 수 있다.

어설프게 소통하면 아무런 의미도 찾을 수 없고 안 하느니만 못하다. 어설프게 소통하면 만사가 귀찮고 어떤 성과도, 성장도 없다. 깊게 소통해야 성과도 있고 성장도 있다.

화끈하게 소통해야 한다. 사람의 만남 자체가 인연이고, 인연은 우연일지라도 관계가 형성되는 데는 노력이 필요한 것이다.

소통은 감사와
사과로부터 시작한다

.

'도장 깨기'라는 말이 있다. 최배달(본명 최영의)이 16살 때 일본으로 가서 가라데 무술을 연마할 때, 어느 정도 실력에 이르자 일본 각 지역에 있는 최고의 무도 도장을 찾아가서 고수와 한 판 붙자고 청하고 대련을 했다. 그 도장의 고수와 싸워서 이기면 그 도장은 격파된 것이다. 이것이 '도장 깨기'다. 한 사람 한 사람 꺾고 다니는 것이다. 도장 깨기를 할 때는 극진한 예의를 갖추고 '한 수 배우겠습니다'라고 대련을 청한다.

그는 결국 일본에서 무술로 최고수가 되었으며, 1948년에는 전 일본 가라테 선수권대회에서 우승해서 큰 인기를 끌었다. 최영의의 일본 이름은 '대산배달(大山倍達)'로, '대산(大山)'은 성인 '최(崔)'의 파자(破子, 한자의 자획을 풀어 나눔)이고, 한국인임을 잊지 않기 위해서 이름을 배달(倍達)로 했다고 한다. 만화가 방학기가 그의 일대기를 그린 장편 무도극화 『바람의 파이터』는 〈스포츠서울〉에 1989년부터 1993년까지 연재되어 그야말로 선풍적인 인기를 끌었다. 연재 당시 1일 신문 판매고가 무려 100만 부에 이르렀다 하니 그 인기를 짐작할 수 있을 것이다.

인기 예능 프로그램인 〈복면가왕〉도 일종의 도장 깨기다. 복면을 쓴 사람들끼리 노래로 대결하고, 이긴 쪽은 그대로 남고 진 쪽은 가면을 벗고 무대에서 사라진다. 이긴 사람들끼리는 또 노래 대결을 해서 표를 더 많이 받은 사람이 살아남아 복면가왕이 된다. 이 복면가왕에게는 매주 새로운 노래 고수들이 도전한다. 고수가 있으면 그 고수를 깨러 누군가가 온다. 물론 〈복면가왕〉은 눈으로 보이는 이미지를 제외하고 음악만으로 실력을 겨뤄보겠다는 콘셉트이지만, 그 형식은 노래 고수에게 또 다른 고수가 도전하는 것이다. 그래서 나는 이 프로그램을 긍정적인 도장 깨기라고 본다.

최배달의 도장 깨기, 복면가왕의 도장 깨기처럼 나는 연말이 되면 감사 깨기를 한다. 12월이 되면 지난 1년 동안 고마웠던 사람들에게 전화해서 식사 한번 하자고 요청한다. 함께 식사하면서 지난 1년 동안 고마웠다며 감사의 인사를 하는 것이다. 나는 그것을 개인적으로 감사 깨기라고 부른다.

나는 방송만 24~25년을 하다가 인생 2모작을 열심히 살아보겠다고 잘하지도 못하는 교육 사업을 하고 있다. 그런데 감사하게도 누군가 끊임없이 나의 강연을 들으러 오고, 나에게 강연 요청을 하여, 4년이 넘도록 망하지 않고 사업을 운영해오고 있다. 그러니 매일매일 어느 누군가에게 신세를 지고 있다는 생각이 들었다.

그래서 시작한 것이 바로 이 감사 깨기다. 해마다 12월이 되면 나는 점심과 저녁 약속으로 스케줄이 꽉 차 있다. 이 사실이 참 많이 고맙다. 고마운 사람이 그만큼 많기 때문이다. 개인적으로 돈을 벌 수 있는 이벤트 행사에 출연할 수 없을 만큼, 감사 인사를 드리는 일정으로 빼곡하게 바쁘다. 행사를 해서 돈을 버는 대신 내가 식사 대접을 하면서 돈을 쓰는 것이지만, 나는 감사 깨기를 하는 것이 행사에서 돈을 버는 것보다 훨씬 더 행복하고 기쁘다.

고마운 분에게 식사 대접을 하면서 "이렇게 도와주셔서 고맙습니다" 하고 인사를 드리면, 정말 신기한 일이 일어난다. 이분들이 오히려 나를 위해 더 해줄 것은 없는지, 더 도와줄 것이 없는지를 스스로 찾는다는 것이다. 아마도 '표영호는 고마움을 아는 사람이구나'라고 인식하게 되는 것 같다.

함께 일하는 와중에 상대방이 서운함을 느꼈다면, 나는 그 서운함에 대한 사과도 한다. 혹시 내가 나도 인지하지 못하는 사이에 습관적으로 실수를 했거나, 잘못된 태도를 지니고 있었거나, 잘못한 것이 있었으면 용서해달라고 사과하는 것이다. 사과를 하면 설령 내게 서운함이 있었다고 하더라도 금세 서운함을 잊어주는 것 같다. 사과는 나에게는 보이지 않았던 외부의 적으로부터 나를 막아주기까지 하는 완벽한 아군이 된다.

그래서 모든 소통은 고마움의 표현, 잘못의 인정, 실수의 인정과 사과로부터 시작한다고 해도 과언은 아니다. 감사와 사과로부터 시작하는 것이다.

해마다 어느 시기가 되면 서로를 알고자 하는 250명 정도의 사람들이 모여 '굿마이크 소통파티'를 하는데, 파티를 준비하면서 이분들에게 뭔가 의미 있는 선물을 주고 싶었다. 고심 끝에 사람들에게 준 선물은 '소통사과'였다. 굿마이크 직원의 아버님께서 협찬해주신 사과를 하나하나 포장해서 '소통의 시작은 사과를 나누는 일부터'라는 문구를 넣어서 준비했다. 이 사과를 처음에는 참가자분들에게 선물로 주려고 했는데, 사람들이 소통사과를 공짜로 받는 것보다 대가를 주고 받아야 의미가 있겠다고 해서 가격을 만 원으로 책정했다. 한 개에 만 원씩에 사서 다른 사람들에게 선물로 주고 싶다는 것이었다.

신기하게도 파티에 참여한 사람들이 소통사과를 서로 가지려고 아우성을 쳤다. 파티 후기에는 그동안 잘해주지 못한 걸 사과한다며 아내에게 사과를 건넸는데 아내가 눈물을 흘렸다는 글이 올라왔다. "앞으로는 소홀하지 않고 더 잘할게" 하면서 사과를 줬더니 감동의 눈물을 흘리더라는 것이다. 이렇게 마음을 통하게 한 사과가 소통인 것이었다. 우리나라 사람들은 고맙다는 인사도 잘 못하고 사과는 특히 더 못한다. 잘못한 것을 몰라서가 아니라 쑥스러워서 못하는 사람들이 많다.

한 분 한 분 식사를 하면서 감사와 사과의 인사를 하고 나면, 왠지 1년 동안 묵었던 찜찜함에서 벗어난다. 왠지 만나는 사람마다 다 내 편인 것 같은, 삶의 자신감이 생긴다. 이 책을 읽는 독자들도 조금 감사해도 크게 감사를 드리고, 조금 미안해도 성실하게 진심으로 사과하는 그런 마음을 가지면 좋겠다. 내가 남에게 무엇인가를 받으려고 생각하면 세상은 각박하지만, 나도 다른 사람에게 무엇인가 주려고 생각하면 세상은 참으로 살 만한 곳이 된다.

찾지 말고 돼 주어라

좋은 친구를 찾지 말고 좋은 친구가 돼 주고
좋은 사람을 찾지 말고 좋은 사람이 돼 주고
좋은 조건을 찾지 말고 내가 좋은 조건이 되는 사람이 돼 주자.
좋은 사랑을 찾기 전에 좋은 사랑을 주는 사람이 돼 주자.
좋은 하루가 되길 바라지 말고 좋은 하루를 만들자.
행복해지기를 바라지 말고 나 스스로 행복한 마음을 갖자.
털어봐. 아프지 않은 사람 있나…
꾹 짜봐. 슬프지 않은 사람 있나…
찾아봐. 힘들지 않은 사람 있나…
건드려봐. 눈물 나지 않는 사람 있나…
물어봐. 사연 없는 사람 있나…
살펴봐. 고민 없는 사람 있나…
가까이 다가가 봐. 삶의 힘겨운 무게 없는 사람 있나….
꽃은 피어도 소리가 없고, 새는 울어도 눈물이 없고,
사랑은 불타도 연기가 없더라….
장미가 좋아 꺾었더니 가시가 있고,

친구가 좋아 사귀었더니 이별이 있고,
세상이 좋아 태어났더니 죽음이 있더라….
– 행복공장 CEO 김정대의 글에서 발췌

사랑에도
갑과 을이 있다

·

갑(甲)과 을(乙)은 어떤 거래를 할 때 계약서상에서 서로의 차례를 구분하기 용이하도록 사용하는 글자다. 순서로 따지면 갑이 처음, 다음에는 을, 그다음은 병(丙), 그다음은 정(丁), 이런 식의 계약서상의 용어다.

그런데 일반적으로 고용계약서에서는 고용주가 갑이요 고용인이 을이고, 연예인 계약서에서는 소속사가 갑이요 연예인이 을이고, 계약을 주고받는 사이에서는 돈줄을 쥐고 일을 맡기는 쪽이 갑이요, 갑에게 잘 보여서 일을 맡아야 하는 쪽이 을이다. 그래서 갑을 관계에서 권력을 더 쥐고 있는 갑의 횡포를 흔히 '갑질'이라고 한다.

사랑에도 갑과 을이 있다. 뻔한 이야기겠지만 더 많이 사랑하는 쪽이 을이요, 덜 사랑하는 쪽이 갑이 된다. 두 사람이 사랑할 때는 더 많이 사랑하는 쪽이 약자가 되어 상대의 눈치를 보고, 원하는 것을 다 해주며, 행여나 헤어지자고 할까 봐 전전긍긍하기 때문이다.

사랑은 내가 하려고 마음먹었다고 해서 되는 것도 아니고, 절대 사랑하지 말아야지 하고 다짐한다고 해서 사랑하지 않게 되는 것이 아니다. 나도 모르게 자꾸 끌리고 보고 싶고, 궁금하고, 같이 있지 않으면 불안하고, 티격태격 다투면서도 붙어 있고 싶게 만드는 것이 사랑이기 때문에 내 마음과는 다른 것이기도 하다.

중년의 나이에 사랑에 빠진 남자의 고민을 들어준 적 있었다.

여자를 처음 봤을 때 아무 이유 없이 너무 좋았다고 한다. 심장이 터질 것 같아서 다음에 만날 날짜를 서둘러 정한 뒤 남산의 이탈리안 레스토랑에서 점심을 함께했다. 식사를 마치고 레스토랑에서 나와 계단에서 잘 가라고 악수를 하는데, 믿어지지 않게도 둘 다 자연스럽게 서로를 끌어안고 키스하게 되었고 한다. 그럴 계획도 없었는데 두 사람은 너무 자연스럽게 그렇게 되어버린 것이다. 키스를 하고 돌아서서 나오는데 그야말로 심장이 터져 죽을 것 같아서 문자를 했다고 한다.

"나 심장이 터져서 죽을 것 같아요."

"저도 그래요. 운전을 할 수 없어요."

그렇게 사랑이 시작되었다. '이런 것이 사랑이구나' 하고 느낄 새도 없이 스스로도 신기한 나날이 이어졌다. 그녀의 일거수일투족이 궁금하고 매일 보고 싶은 것은 중년의 나이와는 상관없는 것이었다고 한다. 20대 젊은이든 중년이든, 사랑은 언제 찾아올지 모른다. 그가 사랑한 여자는 영어 선생님이었는데, 굉장히 외모가 단아했다. 너무 사랑스러워서 매일 그녀를 찾아가게끔 만들었다.

그렇게 평생 뛸까 말까 한 가슴이 뛰는 여자를 만났는데, 그녀가 "뭐해요? 나는 지금 보고 싶은데"라고 문자를 보내면, 어떻게 그녀에게 달려가지 않을 수가 있겠는가? "뭐해요? 나 오늘 일찍 끝났는데 점심 먹을래요?" 하면 있던 약속까지 모두 취소하고 그 여자를 만나서 점심을 먹었다.

그런데 남자의 스케줄보다 그녀의 스케줄을 더 중요하게 여기게 되었고, 남자의 스케줄을 그녀의 생활패턴에 맞추면서 자연스럽게 사랑에 갑과 을이 생기기 시작했다. 남자는 철저하게 을이었다. 사랑의 을이 되자 무뚝뚝했던 남자는 생전 가보지 않은 여자 속옷가게에 가서 팬티 사이즈와 브라 사이즈를 물어보고 다니게 되었고, 이전에는 결코 해보지 않았던 행동들, 예컨대 사람 많은 곳에서 과감하게 스킨십을 하는 행동도 하게 되었다. 그런 행동들은 그렇게 사랑이 찾아오기 전에는 감히 해볼 생각을 하지 못했던 것들이었다. 그런 걸 하면서도 남자는 '내가 을이어도 상관없다. 내가 더 사랑하니까'라고 생각했다고 한다.

가끔 신문에 등장하는 가진 자의 갑질처럼, 사랑에도 갑과 을이 생기면 갑의 횡포가 시작된다. 그리고 그 갑의 요구조건은 갈수록 세진다. 뭐든지 여자에게 맞춰야 할뿐더러 여자는 남자를 기다린 적도 없었다. 늘 기다림은 남자의 몫이었고 남자의 일보다는 여자의 부탁을 먼저 들어줘야 했다. 여자가 업무상 남자들과 어울려서 긴 시간 이야기를 나누는 것은 괜찮고, 남자가 다른 여자와 업무상 이야기를 하는 것은 절대 안 되는 일이었다.

그녀의 갑질은 점점 가혹해져 갔다. 일 때문에라도 여성과 맥주를 마시면 그날은 마치 사망 선고일처럼 난리를 쳤다고 한다. 그러다 보니 남자는 정당한 업무라도 여자가 싫어하는 행동을 한 후에는 하얀 거짓말을 하게 되었다. 남자 5명과 여자 3명이 술을 마시면, 남자 5명끼리만 술을 마셨다고 한 것이다. 그러다 SNS를 통해 사실이 발각되면 추궁을 당해 죄 지은 것 같았다고 한다. 그리고 행여나 갑의 마음에 들지 않는 행위를 을이 했을 경우, 따지고 보면 을의 잘못이 아닌데도 여자는 남자에게 헤어지자고 요구해서 을의 마음을 다치게 했다. 그런 일이 있으면 행여나 정말로 헤어지게 될까 봐 갑의 요구를 다 들어주고 갑의 입맛에 맞는 라이프 사이클을 가져야 하는 상황이 된 것이다.

'그래, 더 이상 못 참겠어' 하고 을이 정말 헤어지려고 하면 갑은 회유를 한다. 새벽 2시에 자다가 일어나서 "잠에서 깼는데 많이 보고 싶어요" 하고 자는 사진을 찍어서 보내면 마음이 다시 풀어지고 마는 것이다. 그러면서도 여자는 헤어지자고 일주일에 한 번씩 이야기를 꺼내서 남자가 정신을 못 차리게 만드는 것이다. 이런 여자의 행동은 사랑의 갑질이다.

지금 누군가를 사랑하는 당신은 을인가? 갑인가?

'사랑해'를 더 많이 하는 사람, 상대를 더 궁금해하는 사람, 더 많이 기다리는 사람, 더 많이 시간을 배려해주는 사람, 더 많이 참아주는 사람이 을인 것이다. 그런데 그렇게 끌려다니는 사랑임에도 불구하고, 을들은 이상하게도 행복하다고 한다. 사랑에서의 갑과 을이 주고받는 문자를 보면 누가 갑이고 을인지 금방 파악할 수 있다.

남: 뭐해?

여: (답이 없다)

남: 난 퇴근하고 샤워 후에 TV 보고 있어.

여: 어.

남: 자긴 뭐해?

여: (한참 후) 걍….

여자 아나운서랑 결혼한 후배가 있다. 누가 봐도 그 아내는 괜찮은 여자다. 보편타당한 사고방식과 생활 사이클, 지적인 능력, 편안하게 다른 사람들과 대화를 나누는 능력 등 여러 모로 괜찮은 여자다. 후배는 결혼 초기부터 자신이 조금 부족하다고 생각했고, 그럼에도 불구하고 좋은 여자랑 결혼할 수 있었다는 게 스스로 대견했다. 그래서 이 후배는 아나운서랑 결혼하면서 지금까지 계속 을로 살고 있다. 집 안의 모든 청소는 이 후배가 다 한다. 아이들 학교 갈 때 밥 먹이고 학교 보내는 것, 집 안 청소하는 것, 이런 걸 후배가 다 한다.

그 후배가 자신이 을이라고 자처하기에 "남자가 여자를 배려해줄 수 있는 거 아니야? 집 안 살림을 도맡아서 한다고 해서 꼭 을은 아니지"라고 두둔해줘도, 이 친구는 철저하게 자기가 을이라고 했다. 집안 대소사의 모든 결정권을 아내가 쥐고 있어서 아내가 갑이라는 것이다. 집을 어느 지역에 살 건지, 보험은 어떤 걸 들 건지, 아이의 교육은 어떻게 할 건지, 외식할 때 어떤 메뉴를 먹을 건지 모두 아내가 정한다고 한다.

하루는 아내가 스파게티를 먹고 싶다고 하면서 뭘 먹고 싶은지 묻기에 이 후배는 "응, 자기 좋아하는 거"라고 대답했다고 한다. 아내가 "아니 그래도 먹고 싶은 거 이야기해봐"라고 하기에 남자는 속으로 자신에게 결정권을 주는 줄 알고 "부대찌개 먹고 싶은데"라고 했더니 "나는 스파게티 먹을래"라는 대답이 돌아왔단다. 그래서 어차피 결정은 당신이 할 건데 왜 물어봤냐고 반항했는데, 심하게 반항하면 혼날 것 같아 약하게 살짝 웅얼거리듯 했다고 한다.

그는 침대에서도 철저하게 을이라고 했다. 아이를 하나 더 낳고 싶은데 아내가 절대 안 된다고 해서 엄두도 못 낸다는 것이다. 후배가 살림 다 하는 동안 아내는 뭐하느냐 했더니 보통 책을 읽는데 자기는 그게 너무 행복하다는 것이다. 이게 을의 모습이다.

남녀 간의 사랑도 이러할진대 부모자식 간의 사랑에도 당연히 갑과 을이 있다. 확실한 것은 모든 부모는 을이라는 것이다. 밥 좀 먹고 가라는 엄마의 말에 아들이 대답한다.

"생각 없어."

"한 숟가락이라도 먹고 가."

아들이 대답 없이 나가 버리면 누가 갑인가?

사랑의 갑은 을의 마음을 읽을 줄 모른다. 을을 이해하려 들지 않고, 자기 우리 속에 가둬두려고만 하고, 자기가 생각한 테두리 안에서만 움직여주기를 바라는 것이 갑의 마인드다.

칸 영화제에서 황금종려상을 받은 이마무라 쇼헤이(今村昌平) 감독의 〈나라야마 부시코(楢山節考)〉라는 영화가 있다. 이 영화의 배경은 19세기 일본의 작은 산간 마을인데, 겨울이라 더더욱 흉작에 기근이 들었고, 절대적이고 불가피하게 가난했으며, 이때 태어난 남자아이들은 길바닥에 버려지고 여자아이들은 먹을 것 한 줌에 팔려나갔다. 자식이 70세가 된 부모를 등에 업고 나라야마 산 정상으로 가서 버리고 오면 그 부모는 산신령들과 함께 천국으로 간다는 마을의 전설이 있었다. 추운 겨울에 가난을 넘기 위해 입 하나라도 줄이려는 것을 나름의 전설로 합리화시킨 것이다.

70세가 되면 부모를 지게에 지고 버리고 오는, 우리나라 〈고려장〉 같은 영화인 것이다. 그런데 부모는 69세가 되면 '웃으면서 천국 가고 싶다'면서, 70세 겨울에 나라야마 산에 올라가는 것에 대한 슬픔을 자식에게 보이지 않는다고 한다. 자신이 죽으러 가는 것을 뻔히 알면서도 말이다. 부모는 죽으면서까지 갑질하는 자식에게 을의 역할을 충실히 해준다.

사랑은 늘 더 사랑하는 사람이 을이다. 우리 을이 되어보자. 내가 사랑받는다고 행복해하기보다 내가 더 사랑해서 아파보자. 사랑 때문에 아파보았다는 것이 얼마나 아름다운가? 받지 않고 주었다는 것이니까….

나의 가치는
얼마인가?

.

가끔 나는 '내 가치가 얼마일까' 하고 생각해본 적이 있다. 어떤 일을 대하는 나의 집중도와 성실도, 그리고 일을 이루어가는 과정에서의 무소 같은 노력, 대단하진 않아도 그것으로 생겨나는 피 같은 결과물들의 가치는 얼마일까? 우리는 가끔 자기의 가치를 과대평가하기도 하고, 때로는 너무 의기소침해져서 과소평가할 때도 있다.

현대사회에서는 가치를 환산할 때 돈의 단위로 환산한다. 어떤 가치를 이야기하거나 그 가치를 거래할 때 반드시 돈으로 환산하는 것이다.

가끔 뉴스에서 이혼하는 부부가 가사노동에 대한 대가로 위자료를 얼마 청구한다는 뉴스를 접할 때가 있다. 수년 내지 수십 년을 함께 살아온 것이 어찌 돈으로만 계산될까마는, 그것 모두에 가치를 매기고 그 가치를 돈으로 환산하게 된다. 물론 육아와 살림이 돈으로 환산할 수 없을 만큼 가치 있고 보람 있고 숭고한 일이라는 것은 알고 있지만, 싸워서 헤어지는 부부라면 보상심리가 작용하면서 돈으로 환산하게 된다.

그런데 엄마의 노릇과 아내의 노릇을 돈 받고 하라고 하면 할 사람이 몇이나 있겠는가? 예전에 세상에서 가장 힘든 직업이라면서 구직자와 인터뷰하는 동영상을 본 적이 있다. 온라인과 신문에 가짜 구인광고를 낸 후, 온라인상으로 구직자와 화상 인터뷰를 진행한 내용은 다음과 같다.

> **회사 사장**: 이 직업은 아마도 단순한 직업이 아닙니다. 아마도 가장 중요한 직업일 것입니다. 직함은 상황실장(작전운영국장)입니다. 그러나 이 이름보다는 훨씬 엄청난 일입니다. 맡아야 할 업무가 매우 방대합니다. 첫 번째 사항은 기동성이 대단해야 한다는 것입니다. 일하는 동안 거의 지속적으로 서 있어야 합니다. 스스로 지속적으로 최대의 노력을 기울여야 하고 참으로 힘이 많이 드는 일입니다.
>
> **구직자 1**: 너무 많은데요?
>
> **구직자 2**: 그럼 몇 시간 정도 근무하나요?
>
> **회사 사장**: 업무 시간은 일주일에 135시간 혹은 무한정적인 시간입니다. 기본적으로 하루에 24시간, 일주일에 7일.
>
> **구직자 3**: 적절한 경우에 여기저기 앉아서 쉬어도 되죠?
>
> **회사 사장**: 휴식시간요? 휴식은 불가능합니다.

구직자 4: 그 일이 합법적인 일이긴 한 건가요?

회사 사장: 예.

구직자 5: 그럼 점심시간은요?

회사 사장: 점심은 먹을 수 있습니다. 단, 함께한 분이 식사를 다 끝냈을 경우에 가능합니다.

구직자 6: 이거 좀 너무 혹독한 것 같은데요.

구직자 7: 이거 완전 미친 짓 아닌가요?

회사 사장: 이 직업은 뛰어난 협상 기술과 인간관계의 기술이 필요합니다. 의학, 재정, 요리법에 대한 학위가 필요할 수도 있습니다. 즉, 일인다역을 할 수 있어야 합니다. 대상에서 한순간도 눈을 뗄 수 없습니다. 경우에 따라서는 고객과 함께 밤을 새워야 합니다. 어떤 경우에는 엉망진창의 혼란한 상황에서 일해야 하며, 생명을 대신 희생해야 하는 일이 발생할 수도 있습니다. 휴가는 없습니다. 오히려 성탄절, 추석, 설날 같은 휴일엔 일이 더 늘어날 수도 있습니다. 이 또한 좋은 마음으로 수행해야 합니다.

구직자 8: 이거 완전 잔인하군요. 지긋지긋하게 꼬일 대로 꼬인 직업이군요.

구직자 9: 잠잘 시간은 있는 건가요?

회사 사장: 아니요. 거의 없습니다. 1년 365일을 근무합니다.

구직자 10: 이거 너무 비인도적인 것 아닙니까?

구직자 11: 헐, 미친 짓이군요.

회사 사장: 다음은 급여에 대해서 말씀드리겠습니다. 이 직책의 급

여는 전혀 없습니다.

구직자 12: 뭐요? 누가 공짜로 이런 일을 하겠습니까?

구직자 13: 말도 안 돼요.

회사 사장: 누군가 이 직책을 수행하고 있다면 믿으시겠습니까? 사실 이 일을 수억 명이 하고 있습니다.

구직자 14: 누가 합니까?

회사 사장: 엄마들입니다.

이렇게 구직을 한다면 엄마라는 직업과 아내라는 직업은 참으로 값을 매기기가 너무 어렵다. 그럼에도 불구하고 값으로 매기지 않고 마음으로만 표현한다면, 그것은 또 공평하게 계산될 수 있을까? 만약에 이혼하면서 아내에게 "당신의 가사노동이 정말 소중한 일이니만큼 그 노고를 치하하는 마음으로 내가 고맙다고 100번 인사할게"라는 말로 위자료를 대신한다면 받아들일까?

'남편은 아내에게 감사하다는 인사를 100번 하시고 감사의 편지를 100장을 쓰는 걸로 위자료를 대신하겠습니다'라는 법원의 판결은 본 적이 없다. '당신이 우리 회사에 이익을 많이 남겼으니 무릎을 꿇고 감사를 표현할 테니 그걸로 인센티브를 대신하겠습니다'라고 하는 회사는 한 군데도 없는 것이다.

아주 유명한 기술자 이야기를 덧붙여보자. 미국의 유명한 자동차 회사인 포드에 아주 거대한 발전기가 한 대 있었다고 한다. 공장 전체의 동력을 공급하고 있는 없어서는 안 될 발전기였는데, 어느 날

이 발전기가 갑자기 멈추었다. 공장 내 각각의 기술자들이 다 동원됐지만 헛수고였다. 고장 난 발전기 때문에 공장은 일할 수 없어서 대규모 손실이 발생할 수도 있는 위급한 상황이었다고 한다.

포드는 급하게 발전기 분야의 최고의 기술자인 찰스 스타인메츠(Charles Steinmetz)를 불러 수리를 맡겼는데, 그가 망치로 몇 번 두들겨 보고 나사를 풀었다 조였다를 몇 번 하고 나니 발전기가 다시 돌기 시작했다.

그리고 며칠 후 찰리 스타인메츠로부터 수리비 청구서가 날아왔는데 금액이 1만 달러였다. 그 당시 1만 달러면 엄청난 돈이었다. 그래서 포드는 "당신이 한 일에 비해 수리비가 너무 많이 청구됐다"며 "망치로 몇 번 두들긴 게 다인데 너무 비쌉니다"라고 항의했지만 포드는 찰리 스타인메츠의 상세 청구서 내역을 본 후 아무 말 없이 수리비를 지급했다고 한다. 그 수리비 내역서에는 이렇게 적혀 있었다.

발전기를 망치로 두들기면서 일한 공임비: 10달러
어디를 두드려야 하는지 알아내는 데 들어간 경험의 기술적 값: 9,990달러

단순하게 수리비를 받은 것이 아니라 능력비를 가치로 매긴 값이다. 만약 이 분야의 최고 권위자인 찰리 스타인메츠가 아니었다면 발전기는 오랫동안 돌리지 못했을 것이며, 그로 인해 막대한 손실이 생겼을 게 뻔한 것이다.

나의 가치는 얼마일까? 일단 돈의 가치로 환산해보자. 1억을 1년 동안 은행에 넣어둔다면 얼마의 이자를 받을까? 요즘 금리로는 1년에 대략 120만 원 정도 받는다. 120만 원을 12개월로 나누면 10만 원이다.

은행원의 경우 평균 연봉이 7,000만 원 정도라고 하니, 월 580만 원 정도를 지급받는다. 거기에서 세금과 국민연금, 의료보험, 실업급여, 노인장기요양보험 같은 준조세 21% 정도를 빼면 실질적으로 460만 원 정도를 받는다. 그럼 이 은행원의 경우에는 금융자산으로 비교하자면 46억 원 정도의 현금을 은행에 넣어두는 경우와 같다.

또 일반 직장인이 연봉 3,000만 원을 받는다고 가정하면 대략 2,400만 원을 실수령액으로 받는다. 이것을 12개월로 나누면 200만 원이다. 이렇게 따져서 가치를 매긴다면 당신의 가치는 얼마인가?

	200만 원	400만 원	600만 원	1,000만 원
은행 이자와의 비교	20억 원 현금 저축	40억 원 현금 저축	60억 원 현금 저축	100억 원 현금 저축
부동산과의 비교	20억 원짜리 건물	40억 원짜리 건물	60억 원짜리 건물	100억 원짜리 건물

월 200만 원을 벌면 사실상 매달 생활비가 부족한 것이 현실이다. 물론 혼자 사는 독신인 경우에는 부족하지 않을지 모르지만, 3인 가족 혹은 4인 가족이 되면 이야기가 달라진다. 자녀들이 학생이라면 사교육까지 시킬 여력이 없어 아이 얼굴 보기도 민망할지 모른다. 그러나 쫄 것 없다. 200만 원을 버는 사람은 은행에 20억 원을 저축하

고 이자 받는 사람과 같은 것이다. 월 1,000만 원 이상을 버는 자영업자라든지 프리랜서 또는 직장인의 경우는 100억 원이라고 하는 어마어마한 돈을 은행에 저축하고 사는 것과 마찬가지이다.

부동산과 비교해도 마찬가지다. 이 넓은 도시에 건물이 많은데 내 앞으로 된 건물 하나 없는 게 대다수의 현실이지만, 내 몸값을 따지면 40억 원짜리 건물 있는 사람보다 더 나을 수 있는 것 아니겠는가?

나는 이런 단순계산 방법으로 자신의 가치를 돈으로 환산하는 것이 어리석은 방법인 줄 안다. 하지만 이런 이야기를 하는 이유는 우리가 너무 돈의 가치를 무시하고 있지는 않은지, 나의 가치를 잊고 사는 것은 아닌지, 우리 스스로가 얼마나 소중한지를 모르고 있지는 않은지를 생각해보기 위해서다.

나는 사람의 가치를 돈으로 환산하는 것에 동의하지는 않는다. 하지만 우리 사회는 사람의 가치를 돈으로 환산하는, 이른바 급여나 연봉으로 그 사람의 가치를 평가하는 경우가 허다하다. 물론 달리 사람의 가치를 환산할 방법이 없는 것도 현실이다.

'법 없이도 살 사람'이란 말은 너무너무 착한 사람을 두고 하는 말이다. '진짜 좋은 사람'이란 말도 뭔가 다른 말로 형언할 수 없을 만큼 좋은 사람에게 하는 말이다. 이렇게 사람의 가치를 이야기하는 경우도 있지만, 그 척도가 어느 정도인지 알지 못하기에 우리는 숫자로 이야기한다. 예를 들어 '키가 엄청 커'라는 말은 어느 정도 큰지를 분간하기 어렵기에 우리는 180cm, 175cm, 이런 식으로 숫자로 표기하는 것이다.

기왕에 우리의 가치를 돈으로 환산해야 한다면 부가가치를 높여야 한다. 그런데 우리 삶의 부가가치를 높이는 방법은 뭐가 있을까?

먼저 부가가치란 무엇인가? 예를 들어 밀가루 100만 원어치를 사서 빵을 만든 후 150만 원에 팔았다면 50만 원이 부가가치인 것이다. 밀가루로 존재하던 때에는 100만 원의 가치만 있었던 것이 빵으로 변해 50만 원의 이익을 낸 것이다. 쇠고기 100만 원어치를 사서 일정 기간 잘 숙성해서 A급으로 만든 후 그램당 단가를 높여 300만 원에 팔았다면 200만 원의 부가가치가 생긴 것이다. 이렇게 많은 부가가치를 고부가가치라고 한다.

이것을 사람에 빗대어보자면 한 개인의 역량 정도에 따라서 부가가치는 달라지는 것이다. 고학력 고소득자뿐만 아니라 이른 아침부터 늦은 저녁까지 공사장에서 일하는 사람도 자신만의 부가가치를 높이는 방법은 반드시 있다.

내가 사는 동네의 반찬가게 주인은 30대 초반의 젊은 여자다. 지방대학교를 졸업하고 여기저기 취업의 문을 두드렸으나 녹녹치 않자 생뚱맞게 반찬가게를 열었다. 솜씨 좋은 아주머니의 손맛도 아니고 깊이 있는 할머니의 손맛도 아닌 그냥 평범한 식당에서 맛볼 수 있는 그런 반찬가게였음에도 불구하고 그 가게에는 늘 손님이 북적

거린다.

그 이유를 알고 보니 두 가지였다. 첫 번째는 손님들이 재료를 이용해 반찬을 직접 만들어 간다는 것이고, 두 번째는 주인이 항상 웃는다는 것이다. 반찬은 준비된 재료로 손님이 직접 만들어 가고, 이 주인은 그냥 환하게 웃어주는 일만 하는 게 아닌가?

나는 그 여주인의 미소를 보고 무릎을 탁 쳤다. '아하, 반찬을 파는 게 아니라 손님들에게 환하게 웃어줌으로써 즐거운 마음을 파는 것이었구나.' 그녀는 그 환한 웃음이라는 무기로 사람들에게 즐거운 마음을 얹어주며 부가가치를 극대화하고 있는 것이다. 사람들은 그 반찬가게를 '들어가면 행복해지는 곳'이라 부른다.

내 삶의 부가가치를 높이려면 어떻게 하는 것이 좋을까? 그 방법은 무척 많겠지만 나는 다음 세 가지를 특히 중요하게 생각하고 강조한다.

첫째, 거울을 보라. 얼굴에는 그 사람의 모든 것이 깃들여 있기 때문이다. 나이 40이 넘으면 자신의 얼굴을 책임져야 한다고 한다. 살아온 세월이 얼굴에 그대로 드러나기 때문이다. 자신의 얼굴을 소중히 하지 않고 선크림 한 번 바르지 않고 마사지 한 번 하지 않은 채 방치한 사람은 거친 피부를 갖게 되고, 늘 조심스럽게 생활하면서 자신의 피부까지 관리할 여유를 갖고 산 사람은 희고 부드럽고 광택이 나는 피부를 갖게 된다. 웃고 사는 사람은 눈가에 자연스러운 주름이 생겨서 인상이 좋지만, 찡그리고 사는 사람은 이마와 미간에 세로 주름이 생겨서 항상 화난 인상을 가지게 된다.

둘째, 생각만 하지 말고 행동으로 옮겨라. 생각만 많으면 행동으로 옮기지를 못하기 때문에 일을 이룰 수 없다. 대전에 있는 어느 서점의 이름은 'You are What you read'다. 물론 서점이니까 독서를 강조하기 위해서 이런 이름을 정했겠지만, 내 생각에는 읽는 것이 그 사람이 된다고 보지는 않는다. 그 사람이 아무리 많은 책을 읽어도 그 책에 대해서 깊이 생각하고, 자신이 생각한 것을 행동으로 옮기지 않는다면 아무것도 달라지지 않는다. 그래서 나는 이 문장을 이렇게 바꾸고 싶다. 'You are What you read & act'라고.

셋째, 사람을 잃지 말라. 신뢰가 전부다. 앞에서 회사를 차릴 때도 돈이나 사업 아이템보다 사람이 더 중요하다고 강조했는데, 경제활동을 제외한 사회생활에서도 사람이 무엇보다 중요하다. 아무리 힘든 상황에서도 사람들은 의지하고 자신의 마음을 붙들어줄 사람이 필요하다. 몇 달에 한 번씩은 보게 되는 슬픈 뉴스 가운데 하나가, 모르는 사람들이 자살 사이트에서 만나 함께 자살을 했다는 뉴스다. 사람들은 이렇게 죽음을 앞두고도 혼자 가지 못하고 길동무를 찾는다. 자신이 기쁠 때 진심으로 함께 기뻐하고, 슬픈 일을 당했을 때 진심으로 함께 슬퍼해주고, 무엇을 할지 당황스러울 때 갈 길을 함께 모색해주는 사람, 그런 사람이 옆에 있어야 한다.

이 외에도 자신만의 부가가치를 높이는 방법은 우리들 스스로 잘 알고 있다. 하지만 알고는 있되 행동으로 옮기질 못하는 경우가 허다해서 늘 제자리 쳇바퀴 도는 것은 아닐까?

사람의 가치를 돈으로 환산할 수는 없다. 그래서도 안 된다. 가치
는 움직이는 것이며 사람의 가치는 스스로 만들어가는 것이기에, 우
리는 '나의 가치 창조'를 위해서 하루하루 힘듦에도 열심히 살아가는
것 아니겠는가?

코뿔소가
그림을 그린다면

.

커다란 뿔을 가지고 있는 코뿔소가 그림을 그리면 어떻게 그릴까? 코뿔소는 풍경화를 그리건 인물화를 그리건 정물화를 그리건, 일단 코부터 그려놓고 나머지를 그려 넣는다. 왜냐면 인물화든 풍경화든 정물화든 눈으로 보고 그리는 것인데, 코뿔소는 자기 눈앞에 있는 코가 항상 가장 크게 보이기 때문이다.

우리가 사람들을 대할 때는 대부분 자신의 관점에서 바라보게 된다. 상대의 행동을 자신의 관점에서 재해석하는 것이다. 그러니 사람들을 대할 때는 자신의 관점에서 너무 세게 주장하는 것은 아닌지 고민해봐야 한다.

내가 아는 사람 중에는 유부녀임에도 불구하고 늘 서너 명의 애인을 가지고 있는 여자 강사가 있다. 그런데 그녀는 주변의 다른 여자가 남자랑 만나서 커피만 마셔도 나쁜 여자라고 욕을 한다. 그녀의 개인사를 알고 있는 사람들이 볼 때 남녀관계에서만큼은 그녀가 제일 비도덕적이다. 그런데도 자신만의 기준으로 스스로는 합리화시키고, 다른 사람에 대해서는 번번이 보수적인 잣대로 평가한다. 자신이 편법을 써서 수강생을 모집하는 것은 영업 전략이고, 다른 강사가 편법을 쓰면 저질 영업행위라고 비난하는 식이다.

이렇게 다른 사람들을 평가할 때는 자신이 마음대로 그려놓은 프레임 안에 들어오느냐 아니냐를 가지고 나쁜 사람, 좋은 사람, 괜찮은 사람이라고 판단한다. 이것은 코뿔소가 그림을 그리는 것과 조금도 다르지 않다.

물론 어느 시선에서 보느냐에 따라 다른 관점이 생기는 것은 이해할 수 있다. 사람들이 누군가를 '양파 같은 사람'이라고 평가할 때, 이 말은 어떤 의미를 지니고 있을까? 우리가 아는 양파는 지극히 객관적인 것임에도 불구하고, 사람에 따라 이 말은 굉장히 다양한 의미로 사용될 수 있다. '양파 같다'는 말을 '벗기고 벗겨도 새로운 모습을 보여주는 신선한 사람'으로 사용할 수 있고, '까고 또 까도 똑같은 것만 나오는 지루한 사람'으로 사용할 수도 있으며, '아무리 벗겨도 실체를 알 수 없는 오리무중의 사람'이나 '껍질도 사용하고 내용물도 영양가 높은 버릴 것 없는 훌륭한 사람'으로 사용할 수도 있다. 똑같은 말이지만 어느 관점에서 사용하느냐에 따라 칭찬이 될 수도 있고 악담이 될 수도 있는 것이다.

주먹 크기에 동그랗고 겹겹의 껍질로 쌓인 단순한 양파도 이럴진

대, 사람이나 어떤 현상, 사건 등을 바라보는 시각은 얼마나 더 다양하겠는가? 사람들은 제각기 자신의 눈에 보이는 다양한 시선대로 누군가를, 무엇인가를 평가하고 그림을 그린다. 하지만 코뿔소가 그린 그림처럼 모든 그림에 코부터 그려놓고 다른 것을 그리면 그 그림이 과연 온전한 그림일까?

시어머니를 보는 며느리의 시선과 며느리를 보는 시어머니의 시선이 다르다는 것을 이해해야 한다. 내가 상대방을 바라보는 시선도 객관적인 것이 아니고, 상대방도 나를 주관적인 시선으로 바라보고 있다는 것을 인지하자는 것이다. 상대방의 시선으로 나를 바라보려는 노력, 상대방을 객관적으로 보려는 노력이 필요하다. 자기의 잣대로만 상대를 평가한다면 객관적일 수 없고, 서로 상대방을 주관적인 시선으로만 바라본다면 소통이 이루어질 수 없다.

상대방의 입장에서 생각할 줄을 모르는 사람은 색안경을 쓰고 세상을 바라보는 것과 같다. 검은 선글라스나 파란 선글라스를 쓰고 세상을 바라보면, 사물을 알아볼 수는 있지만 제 색깔로 볼 수 없다.

서양 동화 중 『핑크대왕 퍼시(Percy the Pink)』라는 이야기가 있다. 옛날에 핑크색을 너무 좋아하는 봉건영주 퍼시가 있었다. 그는 자신의 왕국이 핑크색이 아닌 것이 슬퍼서 백성들이 모두 핑크색 옷을 입어야 한다는 법을 만든다. 모든 건물도 핑크색으로, 왕국 안의 동물들도 핑크색으로 칠하라는 법도 만든다. 백성들은 너무 힘들었지만 하는 수 없이 옷과 건물과 동물들을 핑크색으로 만들었다. 마침내 퍼시는 왕국 안의 모든 나무와 꽃과 풀까지 핑크색으로 칠하라는 법을 만들고, 퍼시가 다스리는 왕국은 그야말로 온통 핑크색이 되었다.

그러나 어느 날 왕국을 바라보며 행복해하던 퍼시는 문득 하늘을 바라보고 다시 슬퍼졌다. 하늘이 파랬기 때문이다. 하늘을 핑크색으로 칠할 수는 없었으므로, 그는 왕국의 현자인 에릭에게 도움을 청했다. 고민하던 에릭은 마침내 퍼시에게 핑크색 안경을 선물했다. 핑크색 안경을 끼고 바라본 세상은 온통 핑크색이었으므로, 퍼시는 무척 행복했다. 물론 백성들도 기뻐했다. 더 이상 핑크색 옷을 입고 핑크색으로 건물을 칠하고 핑크색으로 동물과 식물을 칠하지 않아도 되었기 때문이다.

우스꽝스런 동화로 생각될지 모르겠지만, 곰곰이 생각할수록 여러 모로 생각할 점이 많은 동화다. 퍼시처럼 자신의 색깔을 남에게 강요하면 다른 사람이 고통스러워진다. 그리고 퍼시처럼 핑크 안경을 끼고 본 핑크색 세상은 실제 세상과 다른 세상이다. 혹시 우리도 퍼시처럼 사실과는 다른 것을 보고, 사실과는 다른 세상을 살고 있지는 않을까?

'나는 지극히 보편타당한 사람이야'라고 자신을 변명할 수도 있겠지만, 보통 사람들처럼 생각하는 것이 반드시 객관적이고 옳은 것은 아니다. 생각해보라. 지구가 태양의 주변을 돌고 있다는 지동설이 증명되기 전까지, 남들로부터 또라이 취급을 받은 몇몇을 제외한 대부분의 사람들이 지구가 우주의 중심이고 태양이 지구 주위를 돌고 있다는 천동설을 믿었다. 지구는 평평하고 바다 끝까지 가면 낭떠러지에 떨어진다고 믿기도 했다. 만약 우리가 그 시대에 살고 있었더라면 홀로 지구가 태양의 주위를 돈다고 확신하고 믿을 수 있을까? 아마도 우리들 대부분은 천동설을 맹신할 것이다.

우리가 얼마나 오류와 그릇된 판단에 쉽게 빠져들 수 있는지 잘 알 수 있는 칼릴 지브란(Kahlil Gibran)의 시 한 편을 보자. 시집 『광인(The Madman)』에 나오는 「THE EYES」라는 시다.

어느 날 눈이 말했다.

"저 멀리 계곡 너머로 푸르스름한 안개에 싸인 산이 보이는구나. 아름답지 않아?"

귀가 한참 동안 주의를 기울여 들은 후에 말했다.

"그런데, 어디에 산이 있지? 나는 안 들리는데."

그러자 손이 말했다.

"나는 그 산을 만져보고 느껴보려고 하고 있는데, 나도 산을 못 찾겠는데."

그리고 코가 말했다. "산은 없어, 나는 냄새를 못 맡겠는데."

그러자 눈은 다른 곳으로 눈길을 돌려버렸다.

그리고 모두 다 눈이 보는 이상한 환각 증세에 대해 서로 수군거리기 시작했다.

"분명히 눈에게 뭔가 잘못된 일이 생긴 게 틀림없어."

이 시를 읽으면 앞을 보지 못하는 사람이 코끼리를 만져보고 표현했다는 이야기가 떠오른다. 다리를 만져본 사람은 코끼리는 기둥처럼 생겼다 하고, 귀를 만져본 사람은 코끼리는 부채처럼 생겼다 하고, 코를 만져본 사람은 구렁이처럼 생겼다 하고, 상아를 만져본 사람은 딱딱하고 뾰족하게 생겼다고 한다는 이야기 말이다. 사람들은 자신이 보고 듣고 느끼고 경험한 것은 절대적인 진리로 생각한다.

직접 경험하는 것은 좋지만, 문제는 그것만이 옳다고 주장하는 것이다. 우리의 소속이나 역할, 성공이나 실패, 경험은 때로 자신이 속하지 않은 부분을 전적으로 부인하게 만든다. 상대방을 이해하고 소통하고 싶다면 상대방의 입장과 상대방의 경험, 상대방의 소속이나 역할, 상대방의 관점을 이해해야 한다. 내 생각만이 옳다고 생각하면 상대를 이해할 수 없다. 코페르니쿠스(Nicolaus Copernicus)나 갈릴레이(Galileo Galilei)가 천동설을 버리고 지동설을 택한 것처럼, 내 입장을 완전히 버려야 상대의 입장이 이해된다.

내쇼날과 파나소닉의 창업자인 일본의 사업가 마쓰시타 고노스케(松下幸之助)는 『길을 열다(續道をひらく)』라는 책에서 이렇게 말했다.

"무슨 일이든 막히면 우선, 사물을 보는 자신의 관점부터 바꾸어야 한다. 의외로 사람은 무의식중에도 한 가지 관점에 집착하여 다른 관점이 있다는 것을 잊어버리고는 한다. 그러고는 길이 막혔다고 하거나 무리수를 두면서 자신이 생각한 길을 고집한다. 이런 태도는 일을 더 궁지로 몰아가고 어렵게 만들 수 있다. 지금까지 최선의 길이라고 생각하고 있던 길에서 벗어나면 생각지 못했던 새로운 길을 만날 수 있다."

사람은 생각하는 동물이다. 그리고 생각은 자기 주관적일 수밖에 없다. 갓 걸음마를 떼기 시작하는 아이조차 하려는 것을 못하게 하면 화를 내고 짜증을 낸다. 하고 싶어 하는 것과 원하는 것에 대한 자기 생각이 있기 때문이다. 하물며 수십 년을 살아온 사람들이 어떻게 자신만의 생각의 방식, 생각의 프레임이나 패러다임이 없겠는가?

'나는 항상 상대방 입장에서 생각하려고 노력해. 내 사고는 틀에 갇혀 있지 않아'라고 반박하는 사람도 있을 것이다. 물론 자신보다는 다른 사람 입장에서 생각하고 자기주장을 내세우지 않으려고 노력하는 사람들이 있다. 하지만 그런 성향의 사람마저도 정도의 차이가 있을 뿐 자신의 주관성을 완전히 버리기는 어렵다. 우리의 생각을 가두는 프레임이나 틀은 내가 눈에 쓰고 있는 검은 선글라스, 퍼시대왕의 핑크 안경 같은 것이기 때문이다. 내 생각을 단편적이 아니라 전방위적으로 가리고 있는 것이다.

좌정관천(坐井觀天)이라는 말이 있다. '우물 안에서 하늘을 바라본다.' 즉 '우물 안 개구리'라는 뜻이다. 평생을 우물 속에서만 자란 개구리는 자신이 세상을 다 안다고 생각한다. 하지만 우물 안에서만 자란 개구리가 알고 있는 세상은 우물밖에 없다. 우물 안에서 보는 하늘은 어떨까? 동그란 원형을 가지고 있으며, 밤에는 별이, 가끔은 달이, 낮에는 태양과 구름이, 가끔은 낮달이 지나갈 것이다. 그러면 우물 안에 있던, 지극히 철학적인 개구리는 어떻게 생각할까? 아마 코페르니쿠스가 우리를 깨우쳐주기 이전의 인간들처럼, 우물을 중심으로 달과 별과 태양이 있는 하늘이 돌아간다고 생각할지도 모른다.

그러면 우리가 갇혀 있는 생각의 틀에서 어떻게 벗어날 수 있을까? 우물 안 개구리가 하늘을 제대로 이해하기 위해서는 우물 밖으로 나와야 한다. '경험'이 사고의 폭을 넓혀준다는 것이다. 그러니 우리는 많은 경험을 하고 여행을 많이 다니고, 여러 사람과 대화하면서 상대의 사고방식을 받아들이려고 노력해야 한다.

하지만 아무리 경험하려 해도 여자가 남자의 경험을 한다든지, 젊은이가 늙은이의 경험을 하는 것처럼 불가능한 일들이 있기 마련이다. 게다가 아이러니하게도 나이가 들어 경험이 많아지면 이번에는 자신의 생각의 틀에 갇혀버리는 사람이 많다. 경험치만큼 자신이 얻어낸 것들이 모두 옳다고 믿어버리는 그릇된 신념은 어쩌면 무경험보다도 더 위험한 것일 수 있다. 상대보다 자신이 옳다고 단정을 내리게 만들기 때문이다.

자, 그러면 결론을 내릴 수밖에 없다. 우리가 가진 생각의 틀에서 벗어나 다른 사람을 온전히 이해하기란 불가능하다. 그러면 어떻게 해야 할까? 간단하다. 이 사실을 인정하면 된다. 코뿔소가 그린, 그림 한가운데 늘 뿔이 있는 그림은 당연한 것이다. 사람이라면 늘 자신이 가진 뿔을 가운데 그려놓고 출발한다. 하지만 그것 때문에 다른 사람에게 고통을 주면 안 된다. 상대를 폄하하고 테두리에서 벗어나는 사람은 나쁜 사람이라는 시선을 가지면 주변 사람들이 피곤하다.

내가 늦게까지 회식을 하는 것은 발전을 위한 것이고 배우자나 애인이 늦게까지 회식하는 것은 쓸데없이 술 먹는 거라고 우긴다면, 그리고 그것이 반복된다면, 당신은 커다란 뿔을 가진 코뿔소다. 주변 사람을 이해할 수 없거나 사랑하는 사람들과 자꾸 말다툼이 생길 때는 자신을 먼저 돌아보자. 혹시 내가 핑크 대왕의 핑크 안경이나 검은 선글라스를 끼고 있는 것은 아닌지, 내가 커다란 뿔로 눈앞을 가리고 있는 코뿔소가 아닌지 한번 짚어볼 일이다.

열심히 살았음에도 불구하고 앞으로 한 발짝도 나아가지 못하고 힘에 부칠 때가 있다. 경험을 할 만큼 했는데도 불구하고 늘 난관은 나를 기다리기라도 한 듯이 짠하고 나타난다. 그 난관이란 놈은 참 자주도 나타난다.

베개를 끌어 앉고 이리저리 뒤척이며 잠을 이루지 못하고 고민에 빠져 있을 때에도, 내가 벽에 부딪히고 여기저기 헤매다 주저앉아 있을 때에도, 어디로 가야 할지 삶의 방향을 잃은 막막함 때문에 낙심하고 있을 때에도, 나에게 질책이나 꾸중보다는 늘 한 손을 내밀어 주시는 분들이 있다. 이 책을 빌려 생각나는 고마운 분들께 인사를 드린다.

내 속을 다 들여다보시면서 내가 부탁하면 늘 흐뭇한 미소로 들어주시는 가슴이 넓은 형님이신 ㈜메자인의 한명윤 대표님.
열정이 무엇이고 성실이 무엇이고 신뢰가 무엇인지 내게 몸소 보여주신 부석종합건설의 최재순 대표님과 ㈜이지건축의 노시형 대표님.

나이가 같음에도 불구하고 마치 누나 같이 내 마음을 읽어내는 속 깊은 친구인 ㈜신흥정보통신의 장혜원 대표님과 ㈜한나제이의 신현주 대표님.

굳이 말하지 않아도 어찌 그리 내 마음을 잘 읽어내는지 너무나 고마운 친구인 ㈜파나케미칼의 라기주 대표와 ㈜썬닉스의 김재민 대표, ㈜아이티센의 최중근 부사장님.

인도네시아에서도 모임을 위해 달려오시는 임종하 대표님.

착하고 열정적이고 섬세하기까지 한 그야말로 닮고 싶은 동생 ㈜테크윈의 이천재 대표와 KMK홀딩스의 김태균 대표.

어찌 그리 착하시고 의리가 있으신지 너무나도 대단한 인품을 가진 형님이신 금감원의 홍순간 팀장님, SK텔레콤의 이태현 팀장님, 메인뉴스의 홍정표 대표님, ㈜참컴의 유영선 대표님, 교보생명의 권오광 부장님.

좋은 사람에게는 간과 쓸개도 빼줄 만큼 배려를 많이 하는 김상기 형.

늘 호탕한 마인드가 일품인 ㈜럭키환경건설의 김호영 대표님.

정도 많고 마음도 여리지만 추진력이 아주 센 의리의 사나이인 ㈜근우산업이엔지의 윤세진 회장님.

똑똑하고 명석한 두뇌로 나를 어시스트해주는 데 주저하지 않는 멋진 남자 ㈜비즈오션의 명현식 대표.

의리 하면 떠오르는 충청도 친구 ㈜그린솔루스의 봉춘근 대표와

마론뉴데이CC의 이승규 부사장님.

나에게는 늘 푸근하셔서 고향에 온 느낌을 주시는 ㈜삼신디자인의 김문식 대표님.

나에게 사업의 지식을 넣어주는 똑똑한 친구인 ㈜타파크로스의 김용학 대표님.

삶의 행복이 무엇인지 가르쳐주신 서울지방국세청의 서기관인 김성동 형님과 임경환 서기관님.

남자다움으로 늘 묵묵한 신뢰를 보여주시는 형님인 ㈜대유개발의 김일규 대표님.

'나는 표영호만 잘되면 돼'라며 한결같이 응원주시는 ㈜위너스토건의 나근 회장님.

법무법인 청진의 맑은 영혼을 가진 배성렬, 정수근, 김종광 변호사님들과, 법무법인 한서의 정성훈 변호사, 법무법인 평안의 권형기 변호사, 법무법인 화우의 방기태 변호사, 그리고 인생의 스토리가 살아 있는 이조로 변호사, 원종성 회계사.

마음 씀씀이가 너무 멋져서 성공할 수밖에 없는 DNA를 가진 ㈜에이테크엔지니어링의 김도영 대표님.

회사에서 훌륭한 리더로서 최고의 실적과 따르는 후배가 많은 ㈜삼성전자의 오치오 상무님.

늘 함께해주셔서 너무 고마운 가수 소방차의 리더 김태형 형님과 개그맨 김정렬 형님.

아주 열심히 인생을 만들어가시는 사단법인 '소리문화창작소 신'의 박신 교수님.

무에서 유를 만들며 빡세게 인생을 개척하시는 ㈜스완의 양희정 대표님.

나에게 무한 애정과 신뢰를 주며 남자들의 의리보다 강한 장정자 강사님과 도정미 팀장님.

늘 처음과 같은 신뢰를 보내주시는 배울 점이 많은 ㈜도담의 이복규 대표님.

신사의 품격이 살아 있는 ㈜아이텍코리아의 남동철 대표님.

따뜻함으로 나에게 힘이 되어주시는 ㈜토다이수의 황영균 대표님과 ㈜글로벌엔터피아의 김민기 대표님, ㈜강달의 김우영 대표님.

동생이지만 의리와 존경스러운 리더십을 보여주는 SK하이닉스의 이일우 실장님과 황해청 대표, 김종민 대표, 이낙희 대표.

내게는 한겨울의 따뜻한 커피 같은 강원도 인재개발원의 홍관웅 박사님과 김미숙 계장님.

내게 묵언의 응원을 주시며 늘 바르고 옳으신 한국교통방송의 김석송 센터장님과 보람 PD, 유제창 형님, 그리고 SBS 라디오 시절부터 나의 진행 능력을 인정해주신 김동운 대구본부장님.

구성의 신이라 불리는 한국방송작가협회 임기홍 작가님, 김진태 작가님.

이동수골프 서양수 대표님.

애플라인드 김윤수 대표님.

트라비스엘리베이터의 안상현 대표님.

늘 상담해주고 배려해주는 사랑하는 개그맨 김국진 형님.

대화를 많이 나누지는 않지만 한결같이 믿음직스러운 제이골프의 박희상 본부장님.

늘 나에게 위로와 격려를 아끼지 않는 의리 넘치는 이형걸 아나운서.

LSA에서 늘 좋은 강의해주시는 박재현 교수, 조수진 교수, 김용신 아나운서, 김병찬 아나운서.

부족한 나와 함께 일을 해주는 우리 굿마이크의 훌륭한 스텝들.

이 책이 세상의 빛을 보게 해주신 ㈜스노우폭스북스의 서진 부사장님.

사랑하고 존경한다고 고백을 드립니다.

성공으로 이끄는 사람과 마음 사이

초판 1쇄 인쇄 2016년 9월 26일
초판 1쇄 발행 2016년 10월 5일

지 은 이   표영호
펴 낸 이   김승호
기   획   서진
책임편집   고혁
편   집   김설경
마 케 팅   조윤규 김정현 김아영
디 자 인   이창욱

주   소   경기도 파주시 문발로 203 2F
대표번호   031-927-9965
팩   스   070-7589-0721
전자우편   edit@sfbooks.co.kr

펴 낸 곳   스노우폭스북스
출판신고   2015년 8월 7일 제406-2015-000159

ISBN 979-11-958075-5-0 (03320)
값 14,000원